2011—2020年國家古籍整理出版規劃項目
2018年度國家古籍整理出版專項經費資助項目
中國中醫科學院「十三五」第一批重點領域科研項目
——我國與「一帶一路」九國醫藥交流史研究（ZZ10-011-1）

蕭永芝◎主編

經穴彙解 貳

〔日〕原南陽 撰

26

北京科學技術出版社

海外漢文古醫籍精選叢書·第三輯

經穴彙解　貳

〔日〕原南陽　撰

經穴彙解
卷之四
手部
491
4

門
491
卷 4

經穴彙解卷之四目次

手部第七 並圖

手太陰肺及臂凡十八穴

少商 鬼信　魚際

大淵 鬼心　經渠

列缺 童玄　孔最

尺澤 鬼受 鬼堂　俠白

天府

手厥陰心主及臂凡十六穴

中衝　勞宮 五里 掌中 鬼路

大陵 心主 鬼心　內關

間使 鬼路　　郄門

曲澤　　天泉 天温

手少陰心及臂凡十八穴

少衝 經始　　少府

神門 兌衝 銳中　　少陰郄 中都

通里　　靈道

少海 曲節　　青靈

極泉

手陽明大腸及臂凡二十八穴

商陽 絶陽　　二間 間谷

三間 少谷　　合谷 虎口

清泠淵　消濼

手太陽小腸及臂凡十六穴

少澤小吉　前谷手太陽

後谿　腕骨

陽谷　養老

支正　小海

以上總計凡一百二十穴

經穴彙解卷之四

水戸侍醫　南陽　原昌克子柔　編輯

手部第七

夫欲取手足經穴、先以指按井穴、經渠緩緩從指所之。而上則筋肉自分、到肘中大筋外。尺澤之處廼爲流注之谿谷内經。所謂分肉之間。谿谷之會。以以榮衛舍大氣者。是也。如絡穴別走他經者則須據其經考之

骨度篇曰。肩至肘長壹尺柒寸。肘至腕長壹尺貳寸半。腕至中指本節長肆寸。本節至其末長肆寸半。

按正誤曰。自大椎下脊中。至肘尖爲壹尺柒寸妄。

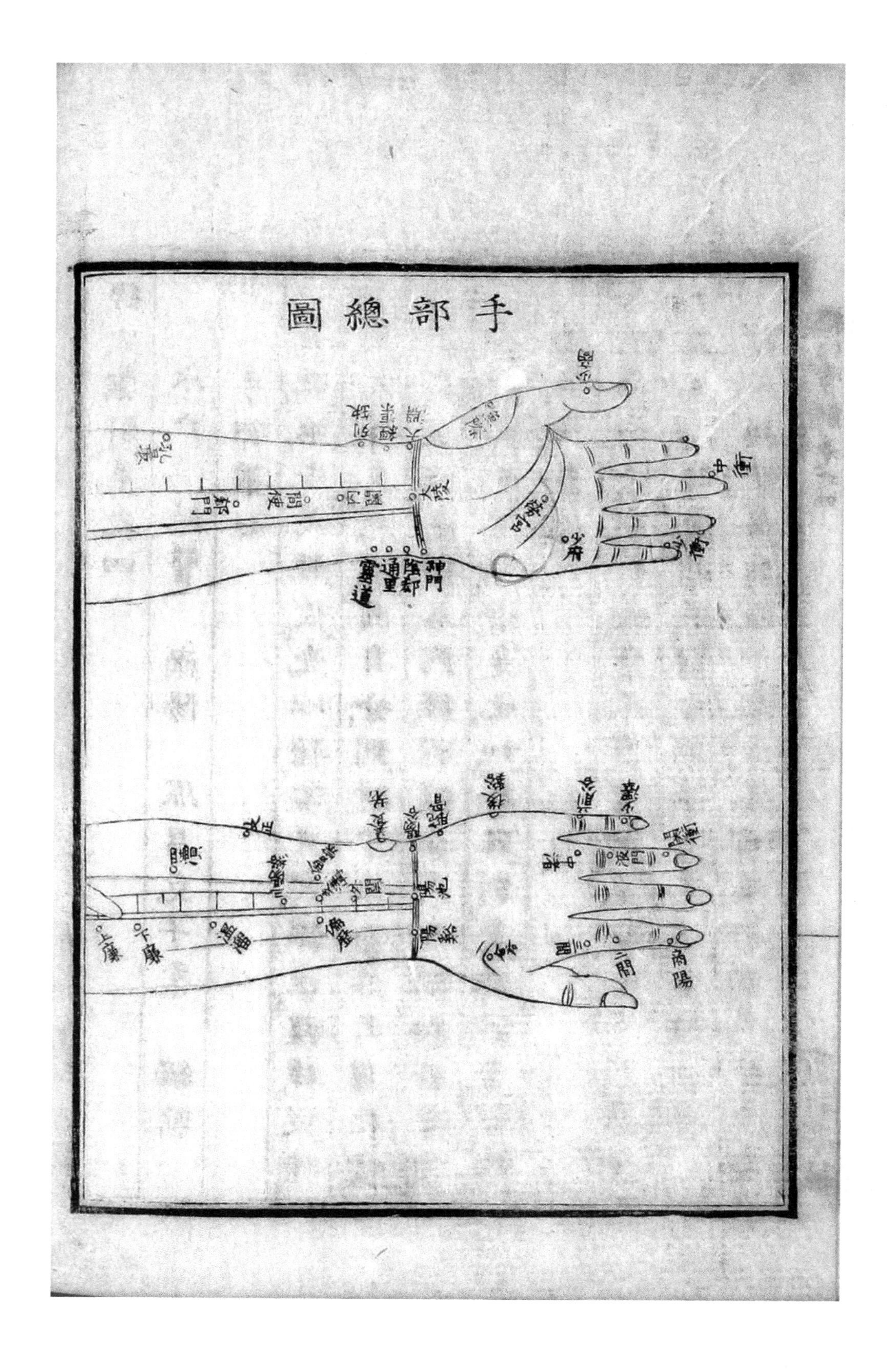
手部總圖

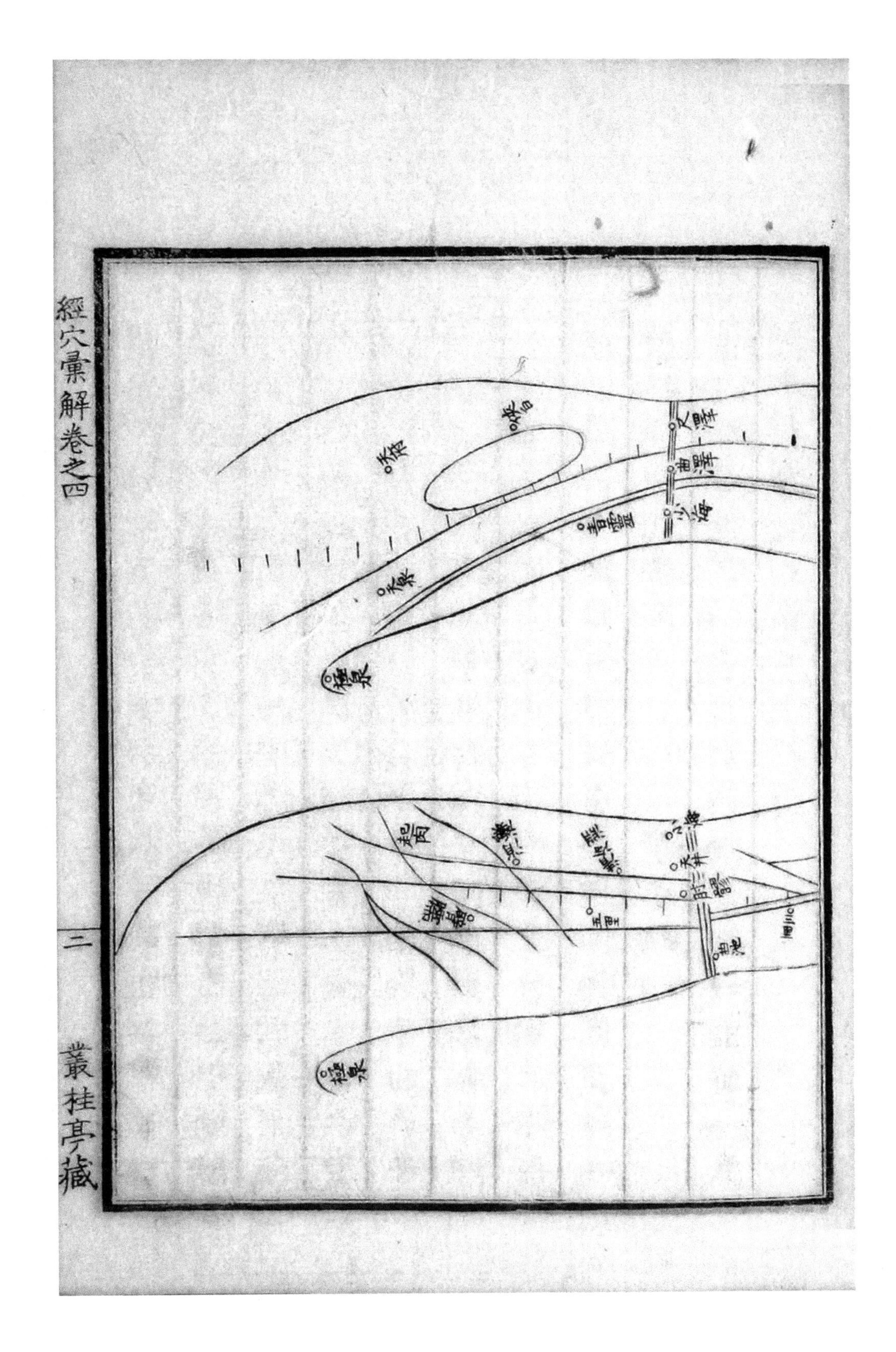
經穴彙解卷之四
二
叢桂亭藏

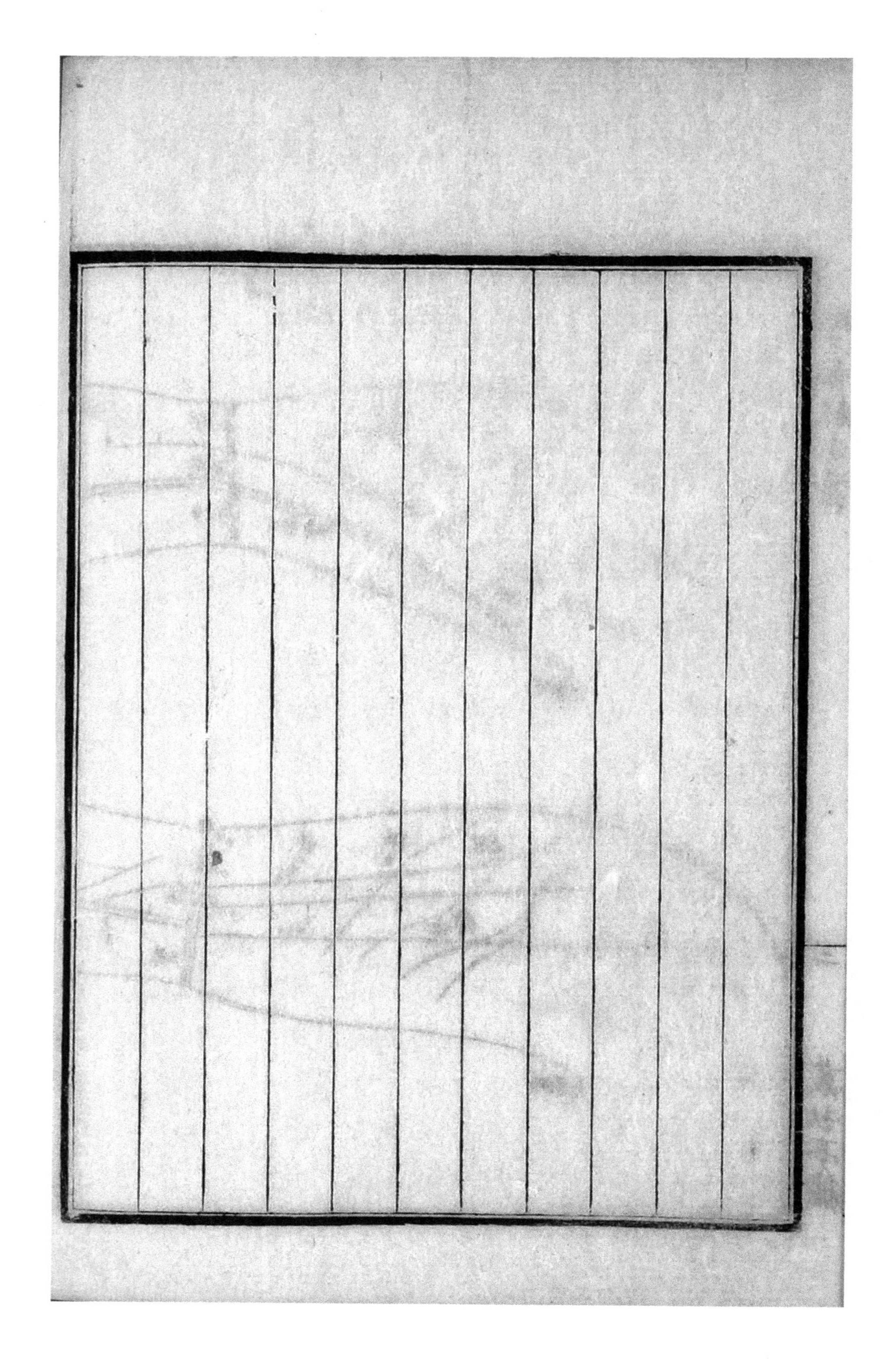

手太陰肺及臂凡十八穴

少商　一名鬼信。千金　手大指内側。去端如韭葉。素問　爲井。靈樞　爪甲上與肉交者。同上　禁灸。聖濟　資生

按凡去爪甲如韭葉者。去其爪甲所與肉交形似韭葉者也。故古典言爪甲上與肉交者。俗人不悟。以爲去爪甲容韭葉許誤矣。何則甲後容韭葉則過第一節也。妄哉。析衷云。甲乙少澤穴下曰在手小指端。去爪甲壹分。據之則韭葉之分寸。當爲壹分。凡爪甲上。謂甲後也。手之上下指尖頭爲下前後指尖頭爲前。手指之内外以伏掌言之外臺甄權曰。大拇指甲。外畔當角。是以反掌言之。與古説

不合。外。恐寫訛。聖濟曰。唐刺史成君綽。忽頷腫大如升。喉中閉塞。水粒不下三日。甄權以三稜針刺之微出血立愈。

魚際素問手魚也。爲滎靈樞手大指本節後內側。散脉中

甲乙禁灸。入門

按魚者。謂手魚腹也。此穴。世人多取掌後橫紋內側誤矣。靈樞曰。魚際者。手魚也。滑壽曰。曰魚。曰魚際云者。謂掌骨之前。大指本節之後。其肥肉隆起處。統謂之魚。魚際則其間之穴名也。又孫真人脈論曰。從肘腕中橫文至掌魚際後文。却而十分之。所謂魚際。指魚腹。赤白肉際也。凡魚腹四邊。皆可

謂魚際也。脈論所說者非穴名也。折衷曰。凡手足拇指之節數。原與諸指不同。故於諸指也第三節為本節也。於拇指也。第二節為本節也。即入門所謂魚際。在大指二節後。內側散脈中。是也。獨張氏以為本穴在寸口之前。魚之後。以側腕高骨為本節。非也。十四經鈔曰。經曰。入寸口上魚循魚際。出大指之端。是可見經脈流行之次序。然滑氏取穴於魚腹下腕骨上。故於本文上魚下。為句學者其再詳之。

大淵 素問 一名鬼心。千金 魚後壹寸。陷者中也。為腧 靈樞 掌後。甲乙 橫紋頭。明堂按魚後魚腹後也。魚際後。有腕骨。阻腕骨是即壹寸弱。故此穴取腕後也。聚英曰。一名太泉。非是。說見淵液。大成作掌後內側橫紋頭。非也。十二原篇云。陽中之少陰。肺也。其原出於太淵。不與本輸篇合。

經渠 靈樞寸口中也。動而不居為經。靈樞陷者中。甲乙脉中。聖濟禁灸。甲乙

按動而不居。謂動脈也。入門云。寸口下。近關上脉中。非矣。

列缺 靈樞一名童玄。折衷引醫統今本不見腕上分間。去腕寸半。別走陽明也。靈樞骨罅宛宛中。外臺引甄權傍關骨上側

增註為原千金

按分間。謂分肉間也。寸半舊作半寸字倒錯也。據甲乙訂之。外臺甄權曰。腕後臂側參寸。交叉頭。兩筋骨罅宛宛中。參寸二字。誤也。資生作以手交叉頭指末。神應經作手側腕上寸半。以手交中指頭末。兩筋兩骨罅中。發揮從之。而中指作頭指。註曰當作食指。折衷曰。第二指為頭指。即食指也。又謂之鹽指。發揮註曰。頭指。當作食指。非也。類經。引滑氏作食指末。聚英。醫統。呉文炳。共引滑氏作頭食指末。大成。作食指盡處。入門作塩指。寶鑑。引資生作中指。今試之。不當寸半處。不可從也。此穴當陽明經之分甲乙曰太陰之絡是脘別走陽明之四字也外臺註曰謹按銅人鍼經甲乙經九墟經無五藏所過爲原穴惟千金方外臺秘要方有之蓋是林億之註也乃今原穴皆記各穴下又抄十二原篇徵古時有原穴原穴見大淵下與千金不同

孔最（甲乙）太陰之郄去腕柒寸（甲乙）陷者宛宛中（明堂）按去腕千金千金翼外臺明堂等作腕上入門寶鑑作腕側上金鑑云上骨下骨間未知所指不可從甲乙有專金二七水之父母八字千金外臺共不載是五行家之文非皇甫氏之文註語誤入本文註云此處闕文非也

尺澤素問一名鬼受。千金一名鬼堂。千翼肘中之動脉也。爲合。靈樞肘中約上。甲乙臂屈横紋中。兩筋骨罅陷者宛宛中。外臺甄權引大筋外。入門禁灸。甄權

按尺甲乙作天刋。誤。明堂作釋臂屈下有伸字。聚英作屈肘。呉文炳。肘中作肘后約上。謂横文約上也。

俠白甲乙天府下。去肘五寸。動脈中。手太陰之別。甲乙尺澤上五寸。圖本

按俠。呉文炳。作夾。壽世保元曰。先於兩乳頭上。塗墨。合兩手直伸。夾之。染墨處。即是穴也。恐有差。不可從。

天府（素問）腋内動脉（靈樞）腋下參寸。臂臑内廉動脉中。（甲乙）

擧臂取之（聖濟）　禁灸（甲乙）

按資生類經曰。以鼻取之入門。作擧手以鼻取之。呉文炳金鑑。作以鼻尖點墨。共是捷法也。欲據此法須急擧手。緩則當俠白。故不取捷法。呉文炳並大成。作肘腕上伍寸。非也。

手厥陰心主及臂凡十六穴

中衝靈樞中指爪甲上與肉交者。素問爲井靈樞去爪甲如韭葉陷者中。甲乙爪甲角。次註内端大全

按内經甲乙諸書無内外側字。次註聚英言爪甲角亦無内外文。大全言内端者原干邪客篇稻垣道恒筋骨銅人圖曰手厥陰中衝穴。古來不辨中指之内外。靈樞二篇曰勞宮掌中中指本節之内間也。勞宮在内間。則中衝亦當在中指内側也。七十一篇曰心主之脉出於中指之端内屈循中指内廉以上留於掌中。既曰端内曰内廉明是中指内側爪甲角。按本輸篇曰心出於中衝手少陰也。

是厥陰而言少陰。張介賓曰。以心與心胞本同一藏。其氣相通。皆心所主。又引邪客篇曰。手少陰之脉獨無腧。然而此篇既論井滎腧經合。則不當爲無腧之解也。金匱真言論曰。南風生於夏。病在心。俞在胸脇。又論俞者可見也。只與邪客篇異例也。本腧一篇不及手厥陰。乃知脱少陰一條。傳寫誤以厥陰作少陰。邪客篇明言心主之脉出於中指端。内屈循中指内廉以上。厥陰起中指者可知也。又經筋篇曰。手心主之筋起於中指。手少陰之筋起於小指之内側。此篇不曰脉而曰筋。其所通亦不同。張曰。經脈營行表裏。經筋出入藏府。然而終篇不論此事。蓋臆說古人皆言内經不出于一時一人之手。若靈樞無異論。然間亦有可疑者焉。至心與心主之兩脉。多不吻合。蓋以不出一口之論也。

勞宮 靈樞 一名五里。甲乙 一名鬼路。千金 一名掌中。類經 掌中。中指本節之内間也。靈樞 爲滎。掌中央動脉中。甲乙 横紋。資生

按掌中手掌中央也。明堂經。作手心中。以無名指屈指頭著處是也。發揮曰。資生經云。屈中指。以今觀之。莫若屈中指無名指兩者之間取之爲允。今按資生經曰。屈無名指著處是。與滑氏所引不同。

入門曰。屈中指取之皆捷法也。予試之間有不合者。不可用也。屈指使掌中凹直中指內間。橫紋中。陷者。此穴也。捷法不可悉廢。亦不可深泥也。十二鬼穴。鬼路。卽勞宮也。詳于間使。

大陵靈樞一名心主。脈經一名鬼心。大全掌後兩骨之間。方下者也。爲腧。靈樞手腕第一約理中。當中指肘后按千金註。以鬼心爲大淵。大全爲大陵。折衷。引千金。亦爲大陵。蓋以千金。掌後橫文名鬼心。有兩說。未知孰是。姑存二說。方下謂陷中也。脈經曰。心主在掌後橫理中。肘后曰。心主云云。其文以肘后爲詳。故繫之本註。又以心主爲一名。千金曰吐血。嘔逆灸手心主五十壯千金翼云大陵是也甲乙千金翼外臺資生發揮作兩筋間陷者中千金作兩骨間次註作掌後骨兩筋間類經聚英醫統金鑑作掌後骨下横紋中義同十二原篇曰陽中之大陽心也其原出於大陵是心包經而爲心之原者說已見

内關 靈樞 去腕貳寸出於兩筋之間 靈樞 絡別走少陽 甲乙 與外關相對 類經 大陵後貳寸。入門爲源 千金

按靈樞曰刺兩關者伸不能屈兩關者内關外關也謂伸肘而取之也千金註曰外臺作伍寸今本作貳寸

間使靈樞一名鬼路千翼兩筋之間參寸之中也爲經靈樞掌後參寸。陷者中甲乙大陵後參寸。入門

按參寸之中言掌後參寸。兩筋之中間也肘后作兩腕後兩字衍鬼路千金翼云從手横紋上參寸兩筋間鍼度之名鬼路此名間使大全歌括類經並爲一名千金十三鬼穴註爲勞宮者恐非也千金風癲篇作腕後伍寸臂上兩骨間千金翼諸風篇作貳寸誤

郄門甲乙手心主之郄去腕伍寸甲乙掌後千金大陵後伍寸入門

按千金註曰外臺云去內關伍寸今本無此語

曲澤靈樞肘内廉下陷者之中也屈而得之爲合靈樞大筋内側横紋中動脈神應

按屈者屈肘也甲乙作屈肘入門作肘腕内横紋中央非也

天泉甲乙一名天溫甲乙曲腋下去臂貳寸舉臂取之甲乙

按溫外臺資生類經聚英寶鑑呉文炳醫統大成並作濕千金無去臂二字是也類經作去肩臂不穩據去臂二字則當曲澤上貳寸對腋處然前人共取之於臑内廉對腋處腋下貳寸自曲澤隨分肉而上則至腋下退貳寸此穴也千金並翼方外臺作舉腋取之無異義

手少陰心及臂凡十八穴

少衝甲乙一名經始甲乙手小指內廉之端。去爪甲如韭葉。手少陰脉之所出也。爲井甲乙爪甲角。資生

按凡手指言內外者。以伏掌而取之。故此穴取小指爪甲角。對無名指處。直少府後也。靈樞闕少陰一條。本輸篇曰。心出於中衝。手少陰也。說既見

少府甲乙小指本節後陷者中。直勞宮爲榮甲乙掌內。大全

按本千金作大。在掌中小指次指間。橫直勞宮。今世人取掌外側者。非也。類經聚英大成作骨縫。亦粗。金鑑曰。小指本節末外側。非也。

神門甲乙一名兌衝。一名中都。甲乙一名銳中。聚英掌後銳

骨之端靈樞陷者中。為俞甲乙當小指次註動應於手同上

按甲乙經。作兌骨。千金。外臺等同。兌銳通。凡稱兌

骨皆言骨頭尖者也。兌皆兌肉。共同。滑壽。張介賓。

以兌骨為腕下踝骨。後世諸人不曉。遂以據之。閣

本氏和語抄。辨之詳矣。果滑張之說是乎。素問曰。

顱際兌骨。又曰。肘外銳骨。豈頭肘有踝骨。類經。

曰。足跗後圓骨曰踝。手腕後圓骨亦名踝。圓銳形

異。何其言之妄也。腕骨註曰。起骨下。陽谷註曰。銳

骨下。養老註曰。踝骨上。豈一踝骨而有三名乎。說

詳于後。予故以自肘至腕壹尺貳寸半。法定之。先

取掌後橫文。後壹寸。當小指間。點之。此為通里穴。

次取横文與通里之中央。動脈中。此掌後伍分。迺為陰郄穴。則神門自在掌後尖骨端横文微後可見也。後人泥滑張之說。以心經取諸側腕。故以神門為腕骨中側腕宛宛中。誤矣。繆刺篇云。少陰鋭骨之端。次註曰。謂神門穴也。今取心經於掌内側小指無名指間。直到肘外鋭骨之内也。掌後側腕為小腸經。說見于後。俗醫之取此四穴。唯布四指以定之。妄謬甚矣。次註作掌後伍分。不取。

少陰郄甲乙掌後脉中。去腕伍分。甲乙當小指無名指間。

增註

按甲乙。少陰上有手字。外臺。次註。作少陰郄。千金。

並翼方。資生。聖濟。無少字。後世皆同。

通里（靈樞）掌後壹寸。別走太陽。（靈樞）陷者中。（明堂）直陰郄。後。

增註

按里。千金。千金翼。作理。掌。甲乙。作腕。經脈篇云。去腕壹寸半。馬蒔曰。半字衍。觀下。掌後壹寸可見。是也。諸書共無半字。類經。作腕側。非也。說見下。

靈道（甲乙）掌後壹寸伍分。爲經。（甲乙）

按甲乙或曰。壹寸。諸書皆載之。掌後壹寸。此通里也。千金。不載。或曰。一說是也。

少海（甲乙）一名曲節。（甲乙）肘內廉。節後。陷者中。動脉應手。爲合。（甲乙）與小腸經。小海俠肘內。大骨相對。增註

禁灸。權甄

按小海少海二穴唯隔一骨内外耳故諸醫聚訟紛紛。小海註曰俠肘内大骨外廉。少海註曰俠肘内大骨内側。其義較然著明。故增註曰與小腸經小海俠肘内大骨相對。小腸經支正既取外廉則小海又在大骨外可知也。故甲乙少海註云。肘内廉節後可見已。外臺所引甄權曰。穴在臂側曲肘内横文頭屈手向頭而取。是少海穴。欲取此經仰手微屈腕又微屈肘内向自掌後神門穴就分肉緩緩到肘内。過大骨又内側數寸留腋下中央聚毛裏是極泉也。取小腸經亦屈腕屈肘若前法自後谿緩緩隨外側到肘內俠大骨出外廉是小海穴也俱以分肉探之矣疑故取小海唯過肘內大骨取陷者中則不拘甄氏所謂横文頭自得之也千金翼銅人資生入門類經聚英醫統共從甄氏說如次註明堂資生發揮吳文炳聚英醫統並云肘內大骨外去肘端伍分岡本氏以爲小腸經小海穴註混于此是也

青靈明堂肘上參寸伸肘舉臂取之明堂禁刺入門

按甲乙千金外臺不載此穴近時鍼灸書皆有入門作青靈泉發揮無伸肘字吳文炳作伸臂舉臂析衷曰小海後參寸

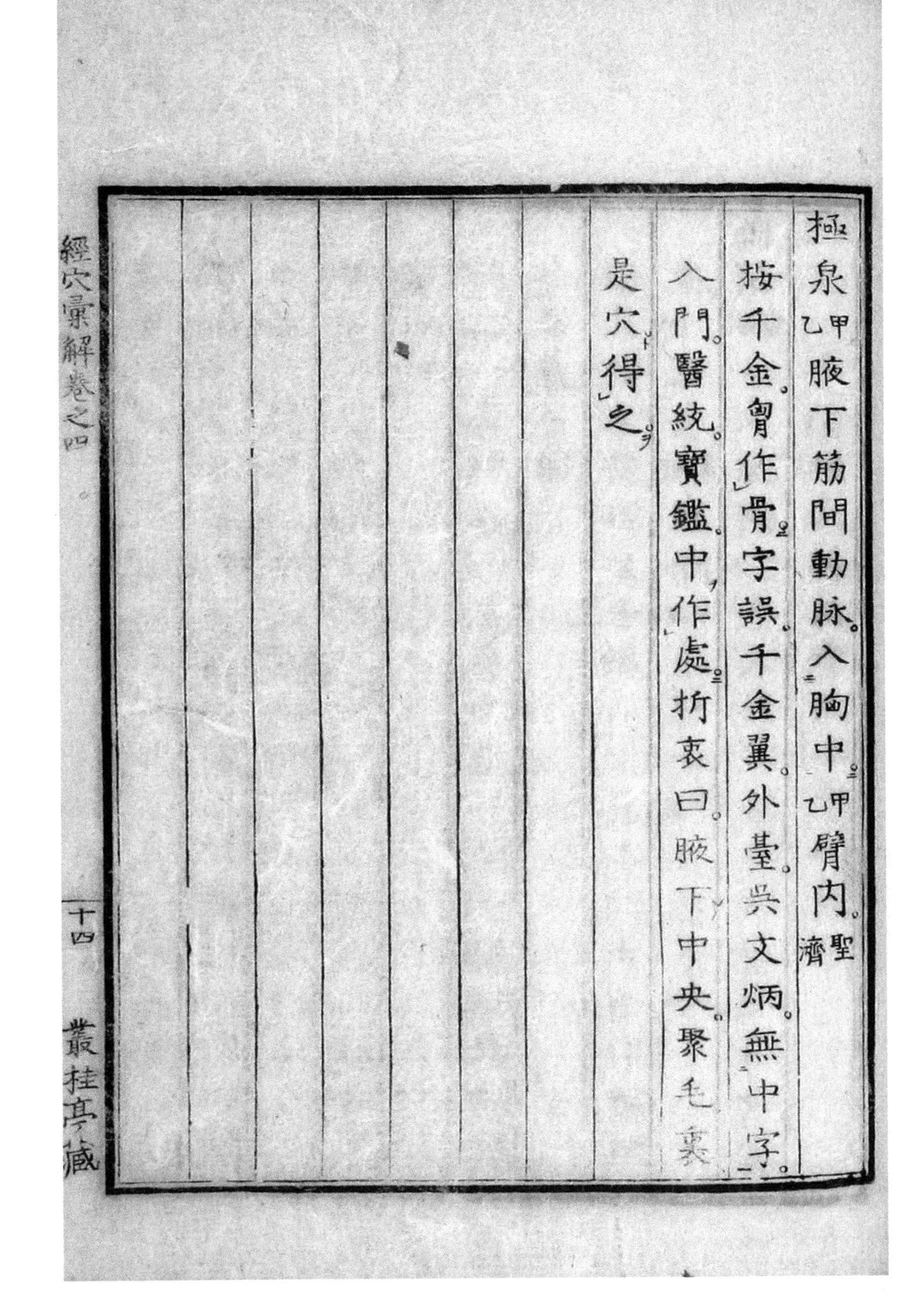

極泉

極泉甲乙腋下筋間動脈。入胸中。甲乙臂內。聖濟

按千金。會作骨。字誤。千金翼外臺與文炳。無中字。

入門。醫統。寶鑑。中作處。折衷曰。腋下中央。聚毛裏

是穴得之。

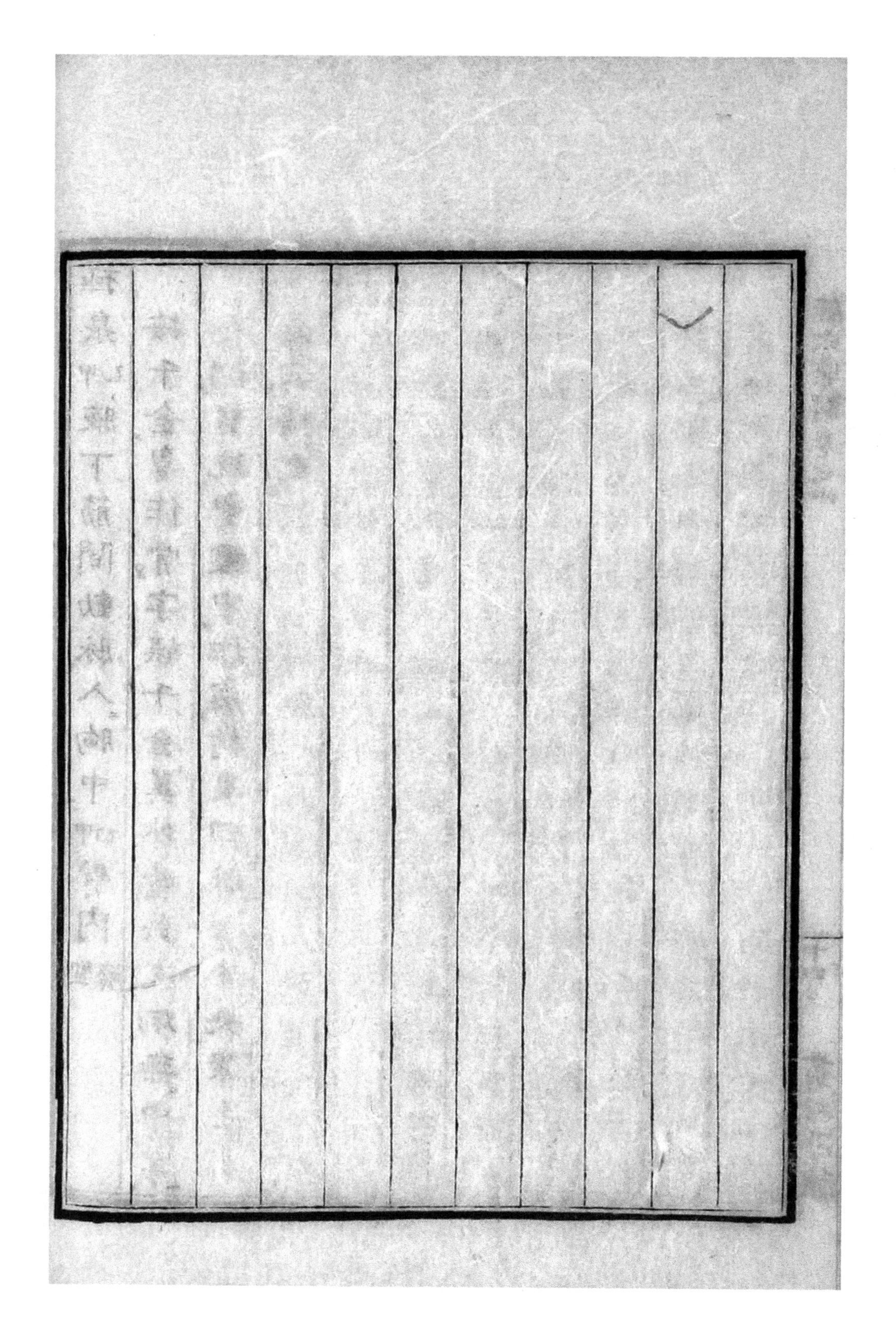

手陽明大腸及臂凡二十八穴

商陽靈樞一名絶陽甲乙手大指次指爪甲上去端如韭葉素問爲井靈樞內側甲乙爪甲角金鑑禁灸入門

按大指次指類經金鑑作食指入門大全作鹽指無異義下同

二間靈樞一名間谷甲乙本節之前二間爲滎靈樞內側陷者中甲乙

按本節之前謂大指次指本節之前受上文故畧之也三間亦同聚英呉文炳作食指説見上

三間靈樞一名少谷甲乙本節之後三間爲腧靈樞內側陷者中甲乙

按聖濟作内廉側千金翼癰病篇曰虎口第二指節下壹寸。

合谷靈樞一名虎口甲乙大指歧骨之間爲原靈樞大指次指間甲乙大指虎口兩骨間陷者中千金妊娠不可刺聖濟

按大指與次指歧骨也明堂作兩骨罅間宛宛中無異義千金翼曰虎口後縱文頭立指取之宛宛中縱文頭不及歧骨故不取此穴孕婦禁刺蓋徐文伯故事説見于三陰交

陽谿靈樞一名中魁甲乙兩筋間陷者中也爲經靈樞腕中上側甲乙張大指次指取之金鑑

按筋甲乙作傍非也腕中腕骨之中也十四經鈔作關骨下非也資生曰辛師舊患傷寒方愈食青梅既而牙疼甚有道人為之灸屈手大指本節後陷中灸三壯初灸覺病牙癢再灸覺牙有聲三壯疼止今二十年矣恐陽谿也今按治齲齒痛者合谷有奇驗其以為陽谿非

偏歷靈樞去腕參寸別入大陰靈樞陷者中明堂上側增註

按去腕甲乙以下諸書作腕後義同別入甲乙作別走聖濟聚英發揮寶鑑作腕中後

溫溜甲乙一名逆注一名蛇頭甲乙腕後陸寸甲乙動脈中明堂從偏歷穴上行參寸金鑑

按溜。千金。千金翼。明堂。寶鑑作留。古通用。入門作流。資生。吳文炳。醫統。大成。蛇作池。大全作地。聚英。作沱。字誤。甲乙載少士伍寸。大士陸寸。千金。外臺。以下諸書從之。凡分寸據其人折量。豈獨此穴以大士少士別之耶。故不取。明堂作伍寸陸寸。間亦不取。徐氏歌作腕後伍寸。非。銅人並大原先安醫門摘要。作小士陸寸。大士伍寸。錯置。

下廉甲乙輔骨下。去上廉壹寸。與輔齊兌肉。其分外邪。

曲池甲乙下肆寸。類經

按入門。大全作曲池前伍寸。並非也。輔骨下輔骨之前也。與舊作恐。蓋字誤。今改作與。千金無與輔

以下九字，邪斜也。其分分肉也。外臺資生聖濟以下諸書並無與齊二字。邪外臺類經入門作斜資生作針聚英呉文炳大成引銅人作斜針

上廉（甲乙）三里下壹寸。其分抵陽明之會。外斜（甲乙）曲池，下參寸（類經）

按陽明之會，舊作陽之會。外臺等有明字，今補之。資生作其分獨抵陽明之會。外斜針。聖濟醫綱無針字。醫統無斜針二字。千金無其分以下八字。入門大全作曲池，前肆寸，非也。

手三里（甲乙）曲池下貳寸。按之肉起，兌肉之端（甲乙）

按明堂聚英作三里，一名手三里。大成呉文炳從

之非是資生神應入門大全作曲池下參寸是上廉穴不可從也今從甲乙取之銳肉端可也折衷曰一名鬼邪非鬼邪是足三里

曲池靈樞一名鬼臣千金一名陽澤千翼肘外輔骨陷者中屈臂而得之爲合靈樞肘骨中以手按胸取之甲乙屈肘兩骨之中次注臂相連處本事

按千金翼小腸篇曰陽澤一名鬼臣今移入一名

按胷次註資生以下諸書作拱胷千金曰肘後轉屈肋曲骨之中轉輔之誤肋肘之誤資生作屈肘曲中蓋脫字兩骨外臺聖濟明堂發揮作曲骨此穴應屈肘迫其兩骨屈曲間取之千金諸風篇作

兩肘外曲頭。世人多據明堂本事方入門等取橫紋頭者誤也。本事方曰臂相連處以手拱胸取之紋盡處是穴

肘窌 甲乙 一名肘尖。外科樞要 肘大骨外廉陷者中。甲乙 與天井相並相去壹寸肆分。類經 近大筋。入門 曲池外傍。微後隔骨陷中。增註

五里 靈樞 一名尺之五里。靈樞 天府下伍寸。素門 肘上參寸。行向裏大脉中央。甲乙 禁刺。甲乙

按向千金並翼方作馬誤。脈入門作筋。

臂臑 甲乙 一名頭衝。千金 一名頸衝。千翼 肘上柒寸。䐃肉端。甲乙 肩髃下壹夫。兩筋兩骨罅陷宛中。平手取之。不得拏手令急。其穴即閉。資生 禁刺。資生

按柒寸。舊作柒分。腘舊作膕。皆傳寫之誤。今據千金。外臺等訂之。壹夫銅人圖。作參寸是也。然不可輙改。千金曰。頭衝在伸兩手直向前。令臂著頭對鼻所注處灸之。各隨年壯。千金翼云。一名臂臑。又按千金翼伸兩作兩伸。注作立。外臺作住。此法恐致差謬。故不取。

手少陽三焦及臂凡二十四穴

關衝 靈樞 手小指次指之端也。為井。靈樞 爪甲上。去端如韭葉。素問 與肉交者。靈樞 爪甲角。甲乙 無名指甲後。千翼

禁灸。甄權

按入門。小指次指。作四指。資生一云。握拳取之。繆刺論云。手中指次指爪甲上。去端如韭葉。王冰曰。謂關衝穴。新校正曰。按甲乙經。關衝穴出手小指次指之端。今言中指者。誤也。

液門 靈樞 小指次指之間也。為榮。靈樞 陷者中。甲乙 本節前陷中。入門

按液。甲乙。千金翼。外臺。作腋。千金作掖。今從靈樞。

資生一云握拳取之

中渚靈樞本節之後陷者中也。爲腧。靈樞握掌取之入門

按本節之後謂小指次指間本節之後也。受上文。

故不重言。千金。外臺。作本節後間。諸書從之。千金

翼。作小指次指後本節後間。蓋上後字衍。聚英寶

鑑。吳文炳醫統。大成。作液門下壹寸拘矣。

陽池靈樞一名別陽甲乙腕上陷者之中也。爲原。靈樞手表

上。甲乙自本節後骨直對腕中類經斜近外踝處增註

禁灸。資生聖濟

按腕上。腕骨之上也。手表上。千金外臺無上字入

門作手掌背横紋陷中。同義。聚英吳文炳大成作

從本節直摸下至腕中心非也。素問云掌束骨下。灸之。王冰曰。陽池穴也。呉崑曰。陰郄穴也。醫學綱目曰。未詳當否。

外關靈樞去腕貳寸。靈樞陷者中。別走心主。甲乙兩筋間。類經與內關相對。大成

按心主。舊作心。今據諸書補之。兩筋。大成。金鑑作兩骨聚英呉文炳作陽池。上壹寸。大全作腕後壹寸。並非也。

支溝靈樞一名飛虎。類經上腕參寸。兩骨之間陷者中也。為經。靈樞臂外。千金外關上。增註

按大全曰。飛虎穴。即童門穴也。又云。是支溝穴。以

手於虎口一飛中指書處是穴也童是章書是盡之誤而章門未聞名飛虎恐有誤脫入門曰陽池後參寸無異義

會宗甲乙腕後參寸空中甲乙支溝外傍壹寸入門支溝會宗止隔一條筋支溝上側會宗外側圖本一云禁

刺類經

按空中言骨上空資生聖濟發揮吳文炳大成作空中壹寸誤矣程敬通曰支溝在腕後參寸兩骨陷中會宗亦在腕後參寸空中腕後空唯兩骨陷中耳別無有空也一云在腕後參寸空中壹寸而三陽絡又在支溝上壹寸會宗故未易取也候高

明者。訂之。金鑑曰。以支溝會宗二穴相並平直空中相離壹寸也。拘矣。

三陽絡 甲乙 一名通間。次註 臂骨空在臂陽去踝肆寸兩骨空之間 素問 臂上大交脉支溝上壹寸。甲乙 陽池後肆寸。入門 禁刺。甲乙

按絡千金作胳。誤。明堂作肘前伍寸。是四瀆穴也。通間聚英醫統呉文炳大成作通門。

四瀆 甲乙 肘前伍寸外廉陷者中。甲乙 三陽絡上參寸半。

增註

按寶鑑作陸寸。非也。

天井 靈樞 肘外大骨之上陷者中也。爲合屈肘乃得之

靈樞大骨之後。兩筋間。甲乙曲肘。後壹寸。叉手。按膝頭。取之兩筋。骨罅。資生所引甄權

按千金。作肘後外。大骨類經。作大骨。尖後聚英作輔骨上兩筋。叉骨罅中屈肘。拱胸取之

清冷淵甲乙肘上貳寸。伸肘。舉臂取之外臺資生。肘上參寸。千金千金翼。天井上行壹寸。金鑑

按甲乙。作肘上壹寸。是天井。穴也。壹恐字誤。故不取。千金千金翼入門大全。作參寸。外臺資生發揮。聖濟類經聚英寶鑑醫統呉文炳大成。作貳寸。不知孰是。姑從王氏淵。千金。作泉。説既見。

消濼甲乙肩下臂外。開腋斜肘。分下行。甲乙在分肉。如蛇

頭者。

按濼大全作瀝。註證發微作鑠。醫學綱目作爍。分

謂分肉也。下行。舊作下胻字之誤。註曰一本無胻

字。聚英醫統。吳文炳大成無行字。此穴在開腋斜

則肘分肉下行者。故今據千金外臺次註訂之。開

發揮。類經。聚英。寶鑑。作間誤。

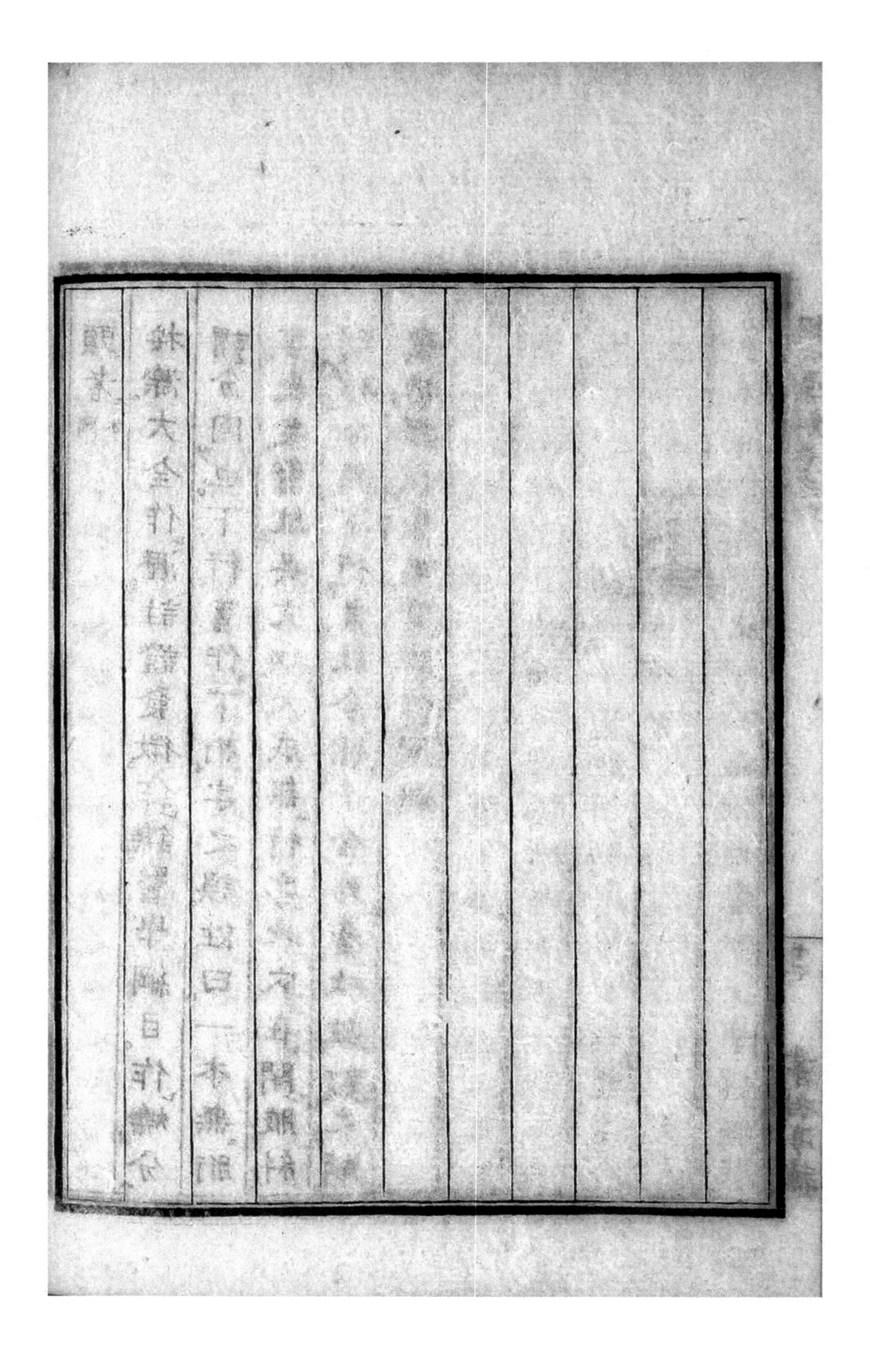

手太陽小腸及臂凡十六穴

少澤 靈樞 一名小吉。甲乙 小指之端也。為井。靈樞 去爪甲壹分陷者中。甲乙 外側。千金 去爪甲角如韭葉。入門

前谷 靈樞 一名手太陽。千金 手外廉。本節前。陷者中也。為滎。靈樞 小指外側。甲乙

按本節謂手小指本節承上文也。下同。千金曰苦心下急熱痹。小腸內熱。小便赤黃。刺手太陽。治陽。手太陽在手小指外側。本節陷中。今為一名。又見奇穴部。

後谿 靈樞 手外側。本節之後也。為腧。靈樞 陷者中。甲乙 腕前起骨下。明堂 橫紋尖上。大全 仰手握拳取之。類經

按谿。明堂。作溪。握掌外側。腕前本節之後。橫紋尖。是也。

腕骨靈樞手外側。腕骨之前。爲原。靈樞起骨下陷者中。甲乙

按腕骨者。掌臂相交之處。又單稱腕。又稱腕中腕上者。皆同義。此穴在腕前。而名腕骨者以近腕也。猶鳩尾下伍分名鳩尾橫骨上寸餘名橫骨也。世人多取諸踝骨前誤也。欲取此穴則先握掌向內以手小指外側。本節後橫紋頭盡處取後谿隨骨而上行腕前有小起骨。其前是腕骨穴也。凡言上下者。向肩爲上向指頭爲下故內經。去腕作上腕又上廉穴。近肘下廉穴。近腕是上下之辨也。凡言

前後者。向指頭爲前。向肩爲後。故謂掌後腕後也。又前谷在本節前。後谿在本節後。是前後之義也。俗醫解起骨爲踝骨。而不考上下前後字。只就踝骨前上側取此穴。所以誤也。靈樞有外側字。豈欺我哉。入門作掌後外側高骨下。不知而臆斷。可笑也。起骨聖濟作鋭骨。

陽谷 靈樞 鋭骨之下陷者中也。爲經。靈樞 手外側腕中。甲乙

按鋭骨說已見握掌向内。則踝骨前有尖骨。是鋭骨也。鋭骨前陷中。不待摸索。即當腕骨之中。腕中二字可見也。今人多就踝骨後上側取此穴。此不知上下義。何粗之甚。甲乙有外側二字。豈得取之

上側。乎大全。作手外側骨踝下骨踝。蓋錯置。而以
銳骨爲踝骨。不可從。
養老。甲乙手太陽郄。在手踝骨上一空。腕後壹寸。陷者
中。甲乙
按空。謂骨上之孔。故内經。有骨空論。其他如大迎。
骨空。面頄空。或四髎。第一空。第二空。可以見也。千
金。並翼方。外臺。作踝骨。一空在後壹寸。在盖腕字
之誤。發揮。類經。以下。諸書。與甲乙同。資生。作踝骨
上空寸。蓋脫字也。明堂。空作穴。無害。呉文炳。醫統。
聚英。大成。作云。字誤。世人取此穴。於踝上壹寸。不
知千金。外臺。有誤字也。一穴失其所。三穴不得真

故歷摸後谿。腕骨陽谷直隨外側上行。腕後壹寸正當踝骨外側。自有一空。此養老穴也。然後甲乙腕後壹寸踝骨上一空九字可讀也。聚英作踝骨前上。杜撰甚矣。內經曰。手太陽經。出踝中。亦可徵焉。後讀岡本氏所著。盡與予說同。

支正 靈樞 上腕伍寸。內注少陰。靈樞 去養老穴肆寸。陷者中。明堂 外廉。類經

按甲乙。上腕作肘後。諸書從之。資生。少陰作少陽。誤。

小海 靈樞 肘內大骨之外。去端半寸。陷者中也。伸臂而得之。爲合。靈樞 禁灸。權甄

按經筋篇云手太陽筋起小指之上結於腕上循臂内結於肘内鋭骨之後彈之應小指之上張介賓曰結於肘下鋭骨之後小海之次但於肘尖下兩骨罅中以指捺其筋則痠麻應於小指之上是其驗也仲甲乙作屈去端作肘端外臺引甄權之説作屈手向頭而取之類經呉文炳大成從之明堂聚英醫統作少海誤

門人

水户醫官吉田　尚光子新

水户　大河内政存子策

下野　片岡恒　升卿　同校

水户　梅田　白　子達

經穴彙解卷之四畢

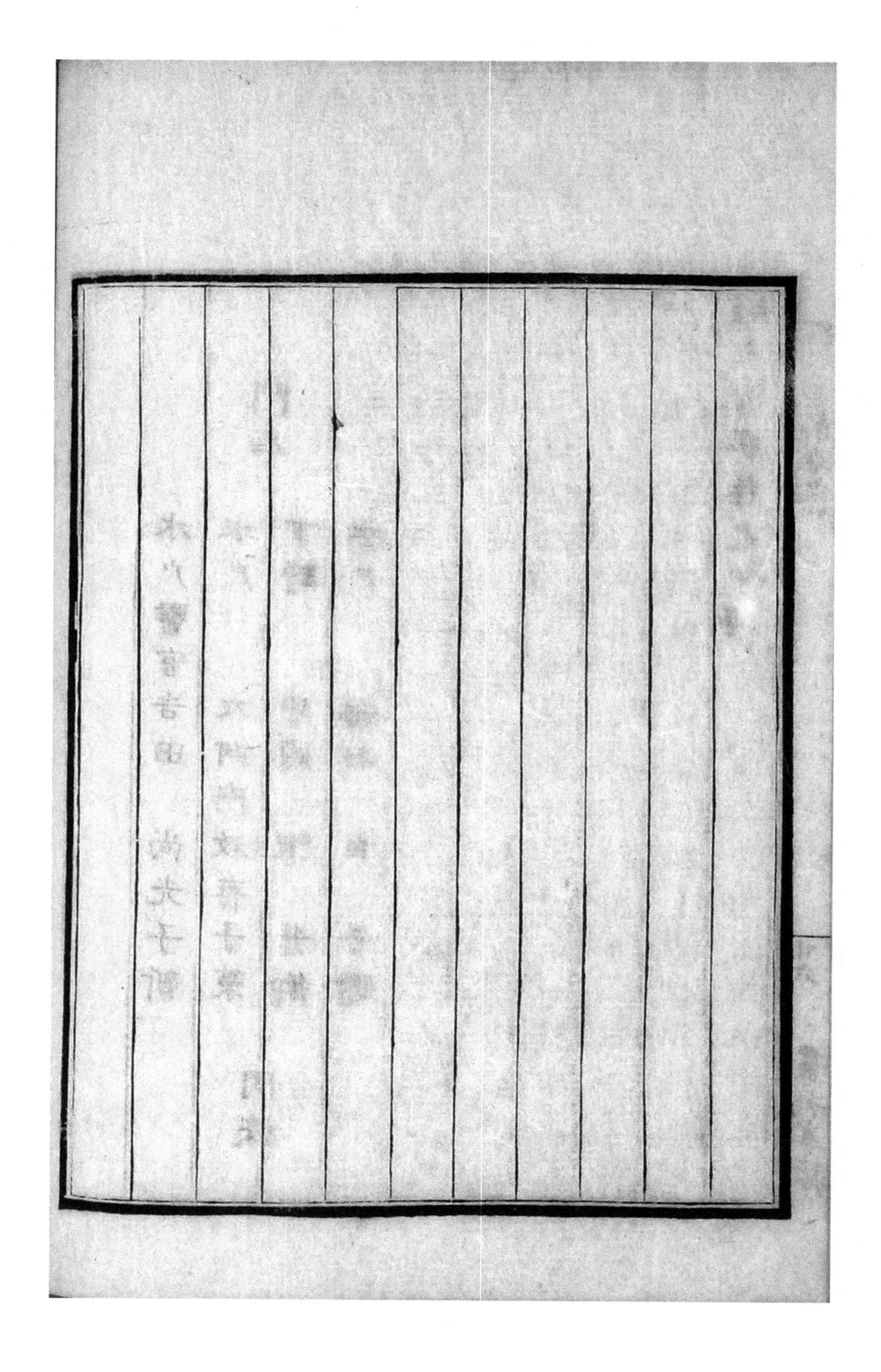

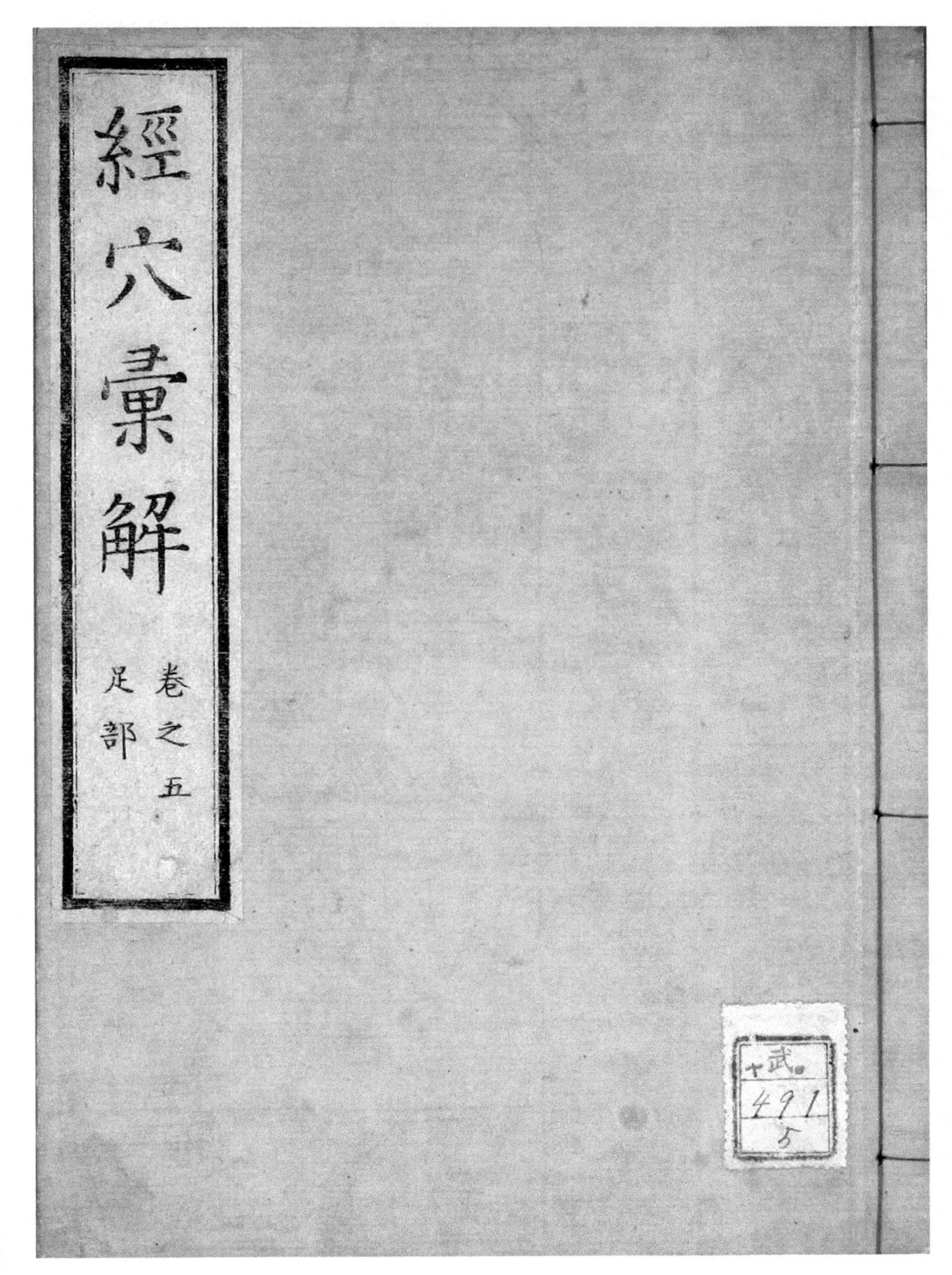
經穴彙解
卷之五
足部
十武
491
5

門
491
卷 5

經穴彙解卷之五目次

足部第八並圖

太衝　中封懸泉

蠡溝交儀　中都中郄太陰

膝關　曲泉

陰包陰胞　五里

陰廉

足少陰腎及股凡二十穴

湧泉地衝　然谷龍淵然骨

太谿呂細　大鍾

照海陰蹻　水泉

復留伏白昌陽外命　交信

築賓　陰谷

地五會　臨泣

丘墟　懸鍾絶骨

陽輔分肉絶骨　光明

外丘　陽交別陽足髎

陽陵泉　陽關關陵關陽　陽陵

中犢　環跳臏骨分中

足太陽膀胱及股三十六穴

至陰　通谷

束骨　京骨

金門關梁　申脉鬼路陽蹻

僕參安邪　崑崙

跗陽 附陽　飛揚 厥陽

承山 魚腹 肉柱 傷山　承筋 腨腸 直腸

合陽　委中 郄中 腿凹 血郄 委中央

委陽　浮郄

殷門　承扶 肉郄 皮部 陰關

以上總計一百五十八穴

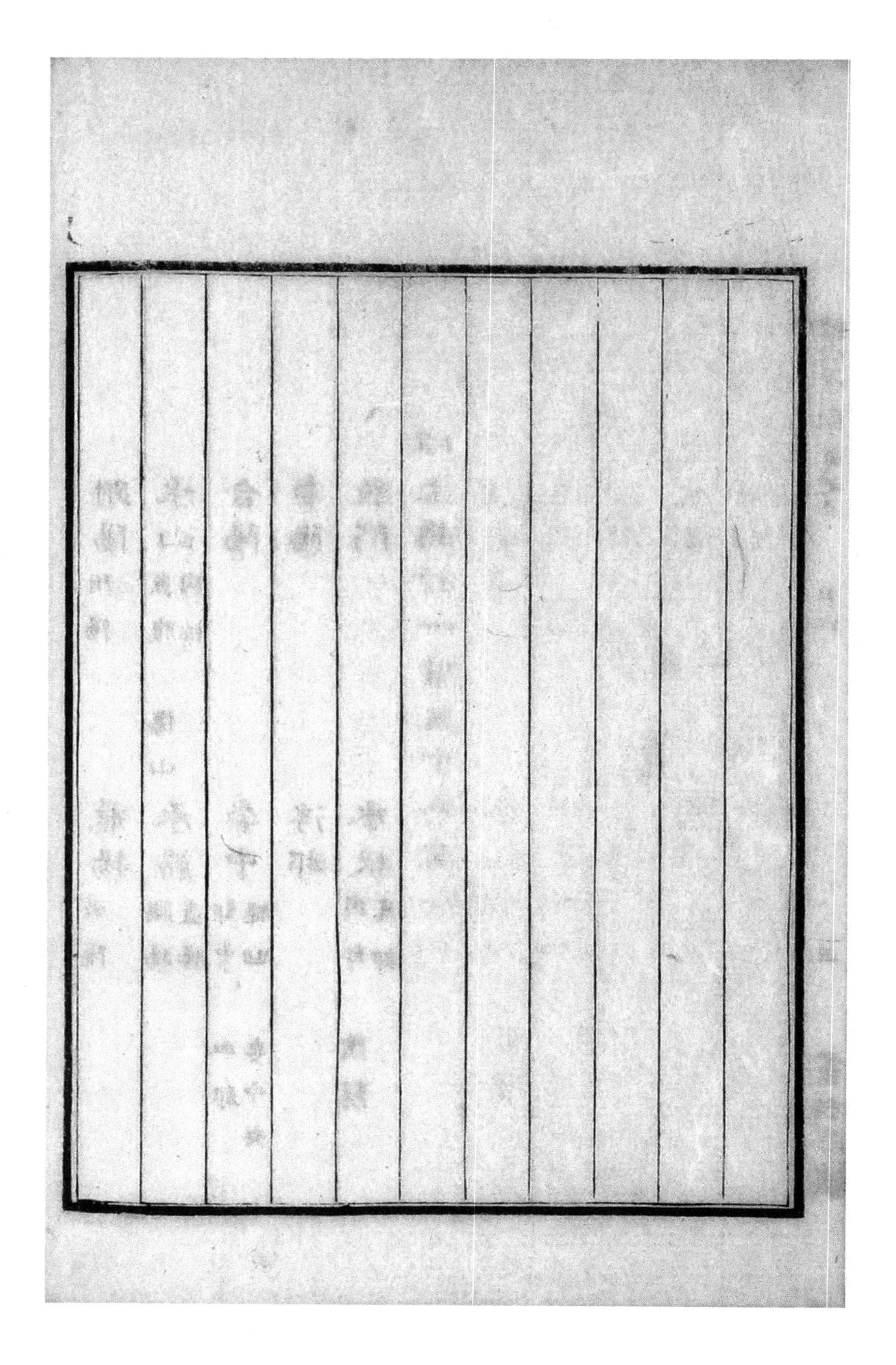

經穴彙解卷之五

水戶　侍醫　南陽　原昌克子柔　編輯

足部第八並圖

骨度篇曰橫骨上廉以下至內輔之上廉長壹尺捌寸。內輔之上廉以下至下廉長參寸半內輔下廉以下至內踝長壹尺參寸內踝以下至地長參寸。膝膕以下至跗屬長壹尺陸寸。跗屬以下至地長參寸。○髀樞以下至膝中長壹尺玖寸。膝以下至外踝長壹尺陸寸外踝以下至京骨長參寸京骨以下至地長壹寸。○足長壹尺貳寸。廣肆寸半。

經穴彙解卷之五

一

叢桂亭藏

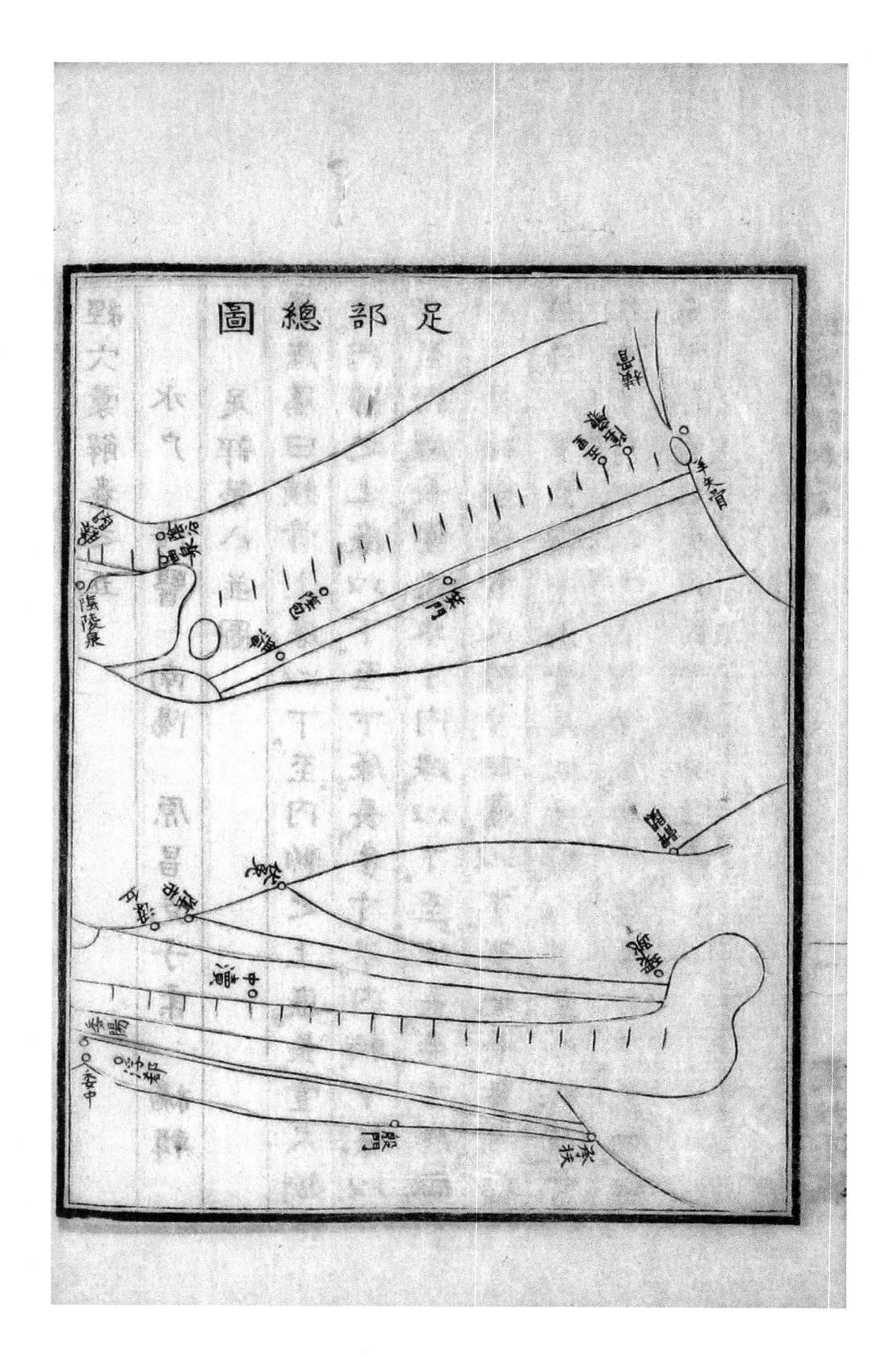
足部總圖
箕門
陰陵泉
中瀆
殷門
承扶
委中

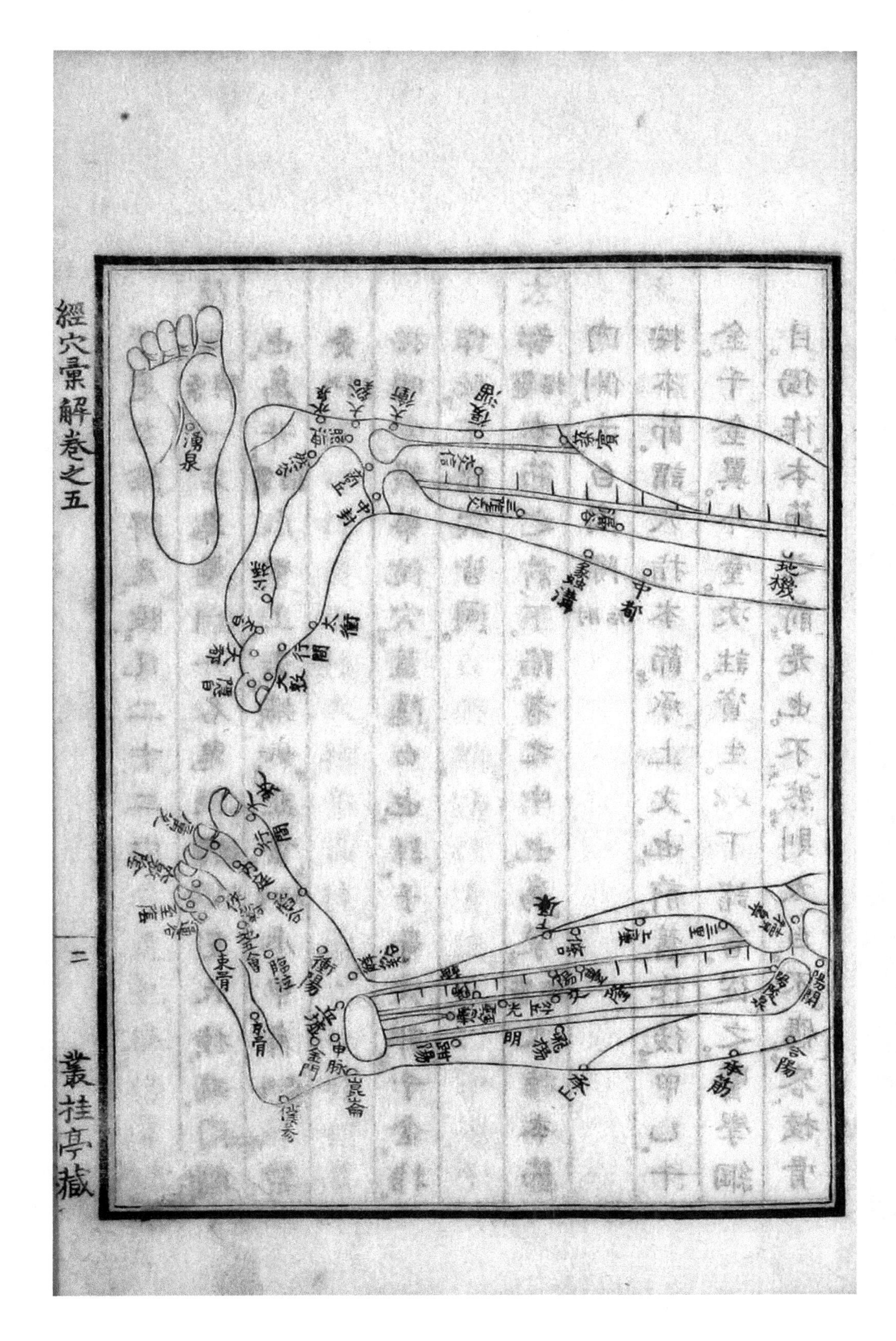
經穴彙解卷之五
二
叢桂亭藏
湧泉
地機
中都
蠡溝
太衝
行間
大敦
承山
承筋
合陽
光明
崑崙
僕參
申脈
束骨

足太陰脾及股凡二十二穴

隱白素問一名鬼壘千金一名鬼眼續醫燈焰足大指端內側也。爲井靈樞爪甲上去端如韭葉素問爪甲角外臺禁灸入門

按明堂載華佗穴，蓋隱白也。詳于奇穴部。千金指作趾，下諸穴皆同。

太都靈樞本節之前下陷者之中也。爲滎靈樞大指本節內側赤白肉際。肘后

按本節謂大指本節，承上文也。前舊作後，甲乙、千金、千金翼、外臺、次註、資生以下諸書從之。醫學綱目獨作本節之前，是也。不然則太白不應容核骨

下。故今訂之。金鑑作次節。末骨縫。非也。肘后。側下赤字。誤作寸。今改訂之。

太白 靈樞 核骨之下也。為腧。靈樞 內側陷者中。甲乙 赤白肉際 類經

按核。舊誤作腕。經脈篇云。脾足太陰之脈。起於大指之端。循指內側白肉際。過核骨後。甲乙。千金。千金翼。外臺。次注。皆作核。故知腕字傳寫之誤。今訂之核。梅核桃核之核。大指本節後。骨之如梅核者。是也。甲乙等。謂內踝前大骨。卽然骨也。次注解腕字。以為內踝前者。不知其誤也。發揮流注。條作覆骨。註之曰。一作核骨。俗云。孤拐骨是也。孤拐骨。踝

骨別名。非核骨也。類經云。即大指本節後。内側圓骨也。得之。甲乙。内側。下。有核骨字。省之。

公孫 靈樞去本節之後壹寸。別走陽明。靈樞爲源。千金

按本節之後壹寸。近上側。逼骨。本節者。大指之本節也。入門金鑑。作大白。後壹寸。不是。類經曰。内踝前陷中。正坐。合足掌。相對取之。千金。説源經者。不與本輸篇同。未知其據。暫記。俟後日。

商丘 靈樞内踝之下。陷者之中也。爲經。靈樞内踝下微前。甲乙前有中封。後有照海。此穴居中。神應内踝下。有横文。如偃口形。類經三穴隔小筋。增註

按丘。入門。作坵。金鑑。作邱。口。恐刀。字。

三陰交甲乙一名承命。一名太陰。千金内踝上參寸。骨下陷者中。甲乙骨後筋前。入門孕婦禁刺。類經按千金及千金翼灸癲卵法作捌寸。誤。千金曰。狂邪驚癇灸承命。穴在内踝後上行參寸動脈上。又曰。女人漏下。灸太陰。名三陰交。千金翼云。太陰内踝上。一名三陰交。又云鍼足太陰穴在内踝上一夫。一名三陰交。今並移入于別名。骨下謂骭骨後也。肘后曰。踝尖上參寸。金鑑從之。非也。凡踝上踝下之屬。皆除骨言之。資生曰。昔宋太子善醫術。出苑。逢一娠婦。太子診曰。女。令徐文伯診曰。一男一女。針之。瀉三陰交。補合谷。應針而落。果如文伯言。

外臺引集驗方曰。內踝上大脉。並四指是也。捷法之說。既見上。

漏谷甲乙一名太陰絡。資生內踝上陸寸。骨下。陷者中。甲乙

禁灸入門

按谷。大全。作裕。絡。千金。作胳。聚英。作經誤。聚英。呉文炳。並大成。骨下。作骭骨下。金鑑。作夾骨。

地機甲乙一名脾舍。甲乙膝下伍寸。甲乙膝內側。輔骨下。陷中。伸足取之。明堂

按甲乙曰。太陰郄。別走上壹寸。空在膝下伍寸。刺腰篇曰。刺散脈。在膝前骨肉分間。絡外廉束脈。王冰註之曰。是地機。機。入門。作箕。蓋以音通。輔。舊作

轉資生同傳寫之誤。內輔骨至踝骨壹尺參寸。先取其中爲陸寸半。少下爲漏谷。其下取中乃三陰交也。其陸寸伍分中除壹寸半取地機。共着骱骨。金鑑作從漏谷上行伍寸。在膝下伍寸內側夾骨陷中非矣。從漏谷上行則伍寸半。

陰陵泉 靈樞 輔骨之下。陷者之中也。伸而得之爲合 靈樞 膝下內側。甲乙 與陽陵泉內外相對。一曰稍高壹寸許 類經 禁灸 入門

按靈樞曰。陰之陵泉。或無之字。陽陵泉亦同。伸而得之言伸足而得之也。以指按輔骨後傍骨而上則至輔骨下指自止者。此穴也。資生作當曲膝取

之金鑑作曲膝横紋頭非也類經聚英作或曲膝
取之廢古書一何至于此岡本以此穴爲曲泉上
是曲膝之失也
血海〈甲乙〉一名百蟲窠〈大全〉膝臏上内廉白肉際貳寸半
〈甲乙〉骨後筋前〈入門〉陷中〈類經〉
按外臺資生發揮半作中誤千金翼聖濟作貳寸
千金註入門大成作參寸金鑑作壹寸並非也類
經作膝内輔上横入伍分拘矣
箕門〈甲乙〉魚腹上越兩筋間動脉應手太陰内市〈甲乙〉陰
股内〈資生〉血海上陸寸〈入門〉禁刺〈入門類經一説〉
按越兩筋千金無越兩二字千金翼外臺無兩字

又按外臺一作股上起筋間類經聚英醫統從之資生發揮大全寶鑑醫統吳文炳亦作越筋間越起字之訛字畫相近而誤寶鑑引靈樞曰股上起筋間是外臺一說之祖然今本無此語甲乙曰太陰內市千金千金翼外臺並作陰市內蓋字之訛太陰內市疑是入陰股內暫記俟來哲今以資生係本註

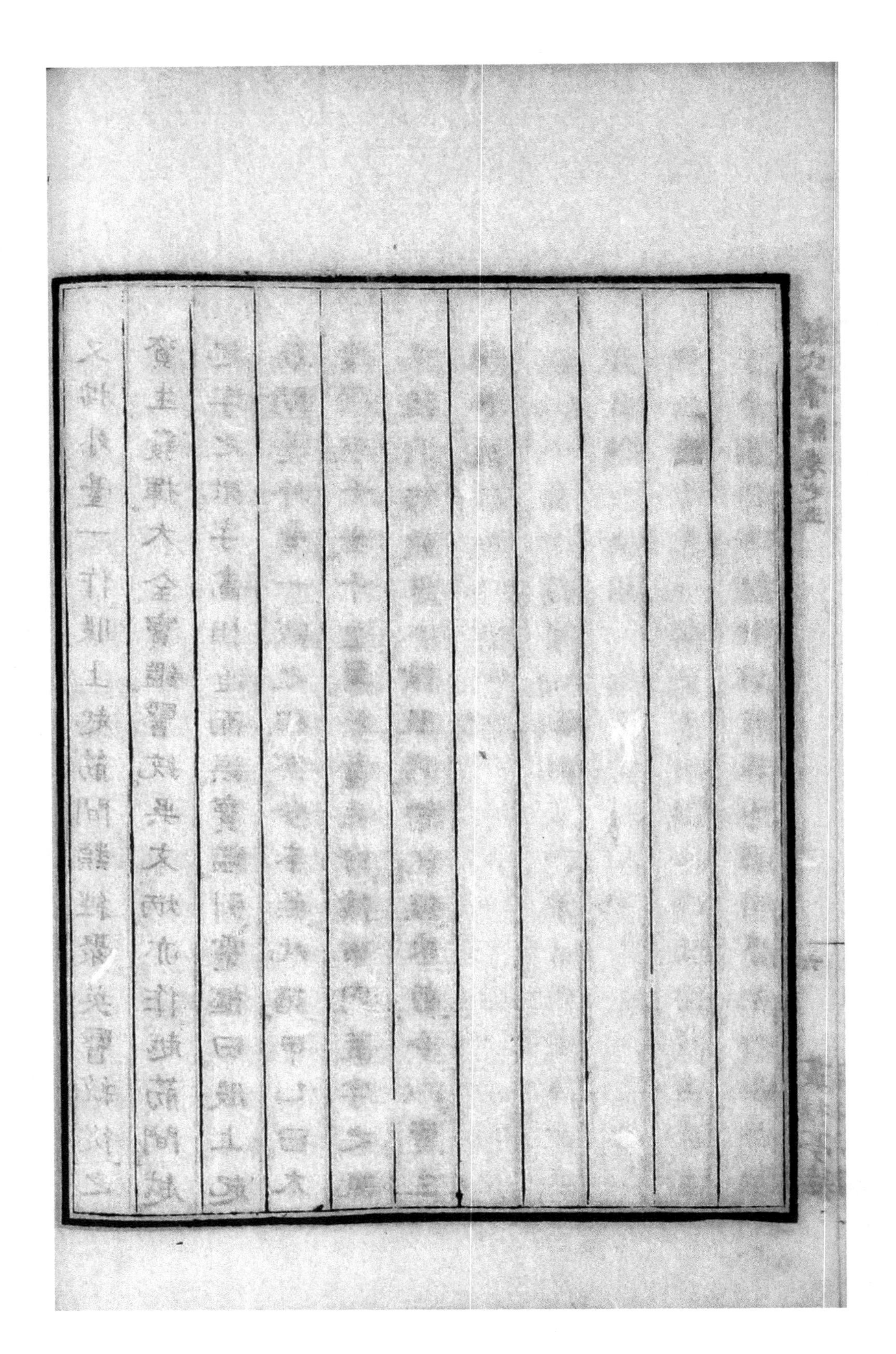

足厥陰肝及股凡二十二穴

大敦靈樞一名水泉千金一名大順醫學正傳足大指之端及三毛之中也。為井靈樞爪甲上與肉交者素問去爪甲如韭葉。甲乙

按次註曰。爪甲角非也。此穴取爪甲上近三毛之中處是古來之說也。類經載一說曰。內側為隱白。外側為大敦。聚英醫統從之。非也。凡井穴靈樞有言內外側。又有不言之。似不可混焉。甲乙有靈樞所不言而言之者。迺古傳不可廢。唯此穴曰及三毛之中。又繆刺篇云。三毛上何取外側。千金曰。足大指聚毛中是也。又云。石淋灸水泉三十壯。大敦

是也。今為一名。又云。衄時癢癢。便灸足節理三毛中。十壯。劇者百壯。衄不止灸之。並治陰卵腫蓋指大敦。聚英醫統。作大指縫間。非也。

行間靈樞足大指間也。為滎靈樞動脈陷者中。甲乙大指次指。岐骨間。上下有筋。前後有小骨尖其穴正居陷中。類經

按大全。作大指外間。千金。外臺。脉下有應手二字。

太衝靈樞行間上貳寸。陷者之中也。為腧靈樞足大指本節後貳寸。或曰。壹寸伍分。甲乙動脈應手。次註

按甲乙。載二說。諸書從之。考之其云自行間貳寸。則帶本節而言。云自本節後貳寸則除本節也。然

中則壹寸伍分之說。近是。今據靈樞。取行間穴上貳寸。是矣。外臺。作貳寸半。類經曰。在足大指本節後。行間上貳寸内間。有絡亘連至地五會貳寸。骨罅間。動脉應手陷中。資生曰。診太衝脉可訣男子病死生。聚英。作診病人太衝脉有無可以訣死生。又註太谿曰。男子婦人病。有此脉則生。無則死。張介賓。註衝陽曰。仲景所謂趺陽也。按仲景趺陽者。非穴名。指趺上動脉。太衝。衝陽。太谿。共所謂趺陽也。

中封（靈樞）一名懸泉（千金）内踝之前壹寸半。陷者之中。搖足而得之。爲經（靈樞）斜行小脉上（千金）貼足腕上大筋陷中。（類經）爲源。（千金）

按壹寸半。甲乙。千金。並翼方。外臺。以下諸書。作壹寸。與商丘混。今從古說。千金雜病論。次註。作壹寸半。是也。搖足。甲乙以下。皆作仰足取之。陷者中。伸足乃得之。千金筋極篇。作內踝前筋裏。宛宛中。癭瘤篇。作兩足趺上曲尺宛宛中。千金曰。爲源。說既見。

蠡溝 靈樞 一名交儀 資生 去內踝伍寸。別走少陽。靈樞 陷者中。明堂

按諸書。作內踝上。儀。大全。作仪。千金曰。交儀在內踝上伍寸。不言蠡溝一名。故從資生。

中都 甲乙 一名中郄。千金 一名太陰。外臺 厥陰。郄。內踝上柒

寸。骭中。與少陰相直。甲乙 脛骨中。外臺 爲經。千金
按與少陰相直。五字未詳。少恐太之誤。以上二穴。
取骭骨中。外臺一作陰陵泉。三陰交中間。

膝關 甲乙 犢鼻下貳寸。陷者中。甲乙
按千金千金翼。作參寸。非。類經。聚英。寶鑑。大成。呉
文炳。作犢鼻下貳寸。傍。千金曰。厥陰郄。蓋誤。

曲泉 靈樞 輔骨之下。大筋之上也。屈膝而得之。爲合。靈樞
大筋上。小筋下。陷者中。甲乙 膝內屈文頭。千金
按輔骨內輔骨也。

陰包 甲乙 一名陰胞。大全 膝上肆寸。股內廉。兩筋間。足厥
陰別走。甲乙 陷者中。明堂 踡足取之。看膝內側。必有槽

者中。類經

按包。資生曰。明堂。作胞。今從徐鳳。為一名。別走。甲乙註曰。此處有缺。外臺類經。同。

五里甲乙陰廉下。去氣衝參寸。陰股中。動脈甲乙

按千金千金翼。作陰廉。下貳寸。外臺。作陰廉下貳寸。去氣衝參寸。未知孰是。陰廉去氣衝貳寸。則此穴在陰廉。下壹寸。恐字誤。岡本。以為陰股橫紋中。亦可疑。刺禁論曰。刺陰股。下參寸。張註曰。五里穴也。

陰廉甲乙羊矢。下。去氣衝貳寸。動脈中。甲乙陰股橫紋中。岡本

按類經金鑑作羊矢下斜裏參分直上来詳類經曰羊矢在陰傍股内約文縫中皮肉間有核如羊矢入門載羊矢穴詳于奇穴部

足少陰腎及股凡二十穴

湧泉 靈樞 一名地衝 甲乙 足心也。為井 靈樞 足下中央之脉。

素問 取足心者。使之跪。素問 陷者中。屈足捲指宛宛中。

甲乙

按衝。聚英。作衝。足心脚掌中心也。肘后曰灸蹶心。當拇指大聚筋上。六七壯。名湧泉。此說恐有訛。千金。作脚心大趾下大筋。又作足心下當拇指大筋。上。外臺。所引甄權。明堂並作白肉際。非。

然谷 靈樞 一名龍淵。甲乙 一名然骨。類經 然骨之下者也。為榮 靈樞 足內踝前起大骨下陷者中。甲乙 內踝前直下貳寸。千金

按淵千金作泉說已見素問曰傷少陰之絡刺足内踝之下然骨之前又曰無積者刺然骨之前次註曰然谷穴也千金翼聚英作壹寸

太谿靈樞一名呂細類經内踝之後跟骨之上陷者中也爲腧靈樞動脈甲乙内踝後伍分類經卽原也類經

按聚英曰男子婦人病有此脉則生無則死說已見類經曰原者未知何據

大鍾靈樞當踝後繞跟別走太陽靈樞動脈次註大骨上兩筋間聚英

按甲乙千金外臺資生等作足跟後衝中次註作内踝後街中又作足跟後聚英呉文炳大成作踵

中。按衝。衝。踵。皆傳寫之誤。當作陷。入門。作大谿下伍分。拘矣。

照海。甲乙一名陰蹻。大全足內踝下壹寸。甲乙容爪甲。千金前後有筋。上有踝骨。下有軟骨。其穴居中。神應

按神應經曰。內踝下肆分。類經一云。內踝下肆分。微前高骨陷中非也。千金。千金翼。外臺無壹寸二字。素問云。陰陽蹻四穴。王冰註之。以為陰蹻照海。陽蹻申脉。

水泉。甲乙少陰郄。太谿下壹寸。在足內踝下。甲乙微後。增註為源。千金

按下。疑後誤。然千金。千金翼。外臺。從之。以下諸書

皆同。故不謾改之。太谿在踝後。則其下壹寸。當内踝後。故以增註。示其意已。千金。水泉一名大敦。説見太敦。

復留靈樞一名伏白。一名昌陽。甲乙一名外命。外臺上内踝貳寸。動而不休。爲經。靈樞陷者中。甲乙前傍骨。是交信。後。傍筋。是復留。二穴止隔一筋。類經

按留。甲乙。作溜。古字通用。千金。作伏留。無異義。動而不休。言動脈也。類經。作前傍骨。是復溜。後傍筋是交信。聚英。醫統。呉文炳金鑑。從之。是傳寫之誤故今二穴換地矣。金鑑。筋作骨。神應經。作踝後伍分。與大谿相直。且有除踝語。然踝上。皆除踝而言。

骨度分寸。固然。

交信甲乙足、內踝、上貳寸。少陰、前。太陰、後。筋骨、間。陰蹻之郄。甲乙復溜、前。入門三陰交、後。下壹寸。增註按入門作三陰交後。非也。此穴在後下壹寸也。少陰、前。言本經、復溜穴。太陰、後。言三陰交也。千金千金翼。外臺。聚英。醫統。共作太陰後廉。資生曰太陰後廉、前筋骨間腨。金鑑作從復溜。斜外、上行復溜穴之後。貳寸許後傍筋。非也。又資生曰按素問氣府論。陰蹻穴註云。謂交信也。在內踝、上貳寸。少陰、前太陰、後。筋骨、間。陰蹻之郄。竊意陰蹻、即交信也。至氣穴論。陰陽蹻穴註。乃云。陰蹻穴。在內踝、下是謂照海陰蹻所生。則是陰蹻乃照海。非交信云云。
王冰註素問。此類極多。學者須知之。

築賓甲乙陰維之郄。在足內踝上腨分中。甲乙
按賓入門作濵。腨分中。腨腹分肉之中也。金鑑曰。
俗名腿肚。聚英醫統作內踝上伍寸。入門曰。骨後
大筋上。小筋下。屈膝取之。是陰谷之註。誤。不可從。

陰谷靈樞輔骨之後。大筋之下。小筋之上也。按之應手。
屈膝而得之爲合。靈樞與曲泉並向膕處。增註
按此穴在曲泉後。大筋小筋之間也。按之應手。謂
動脉也。甲乙作膝下內輔骨後。次註類經聚英醫
統金鑑從之。千金。千金翼。外臺。資生。入門。發揮。實

鑑無下字是也輔骨吳文炳作側骨

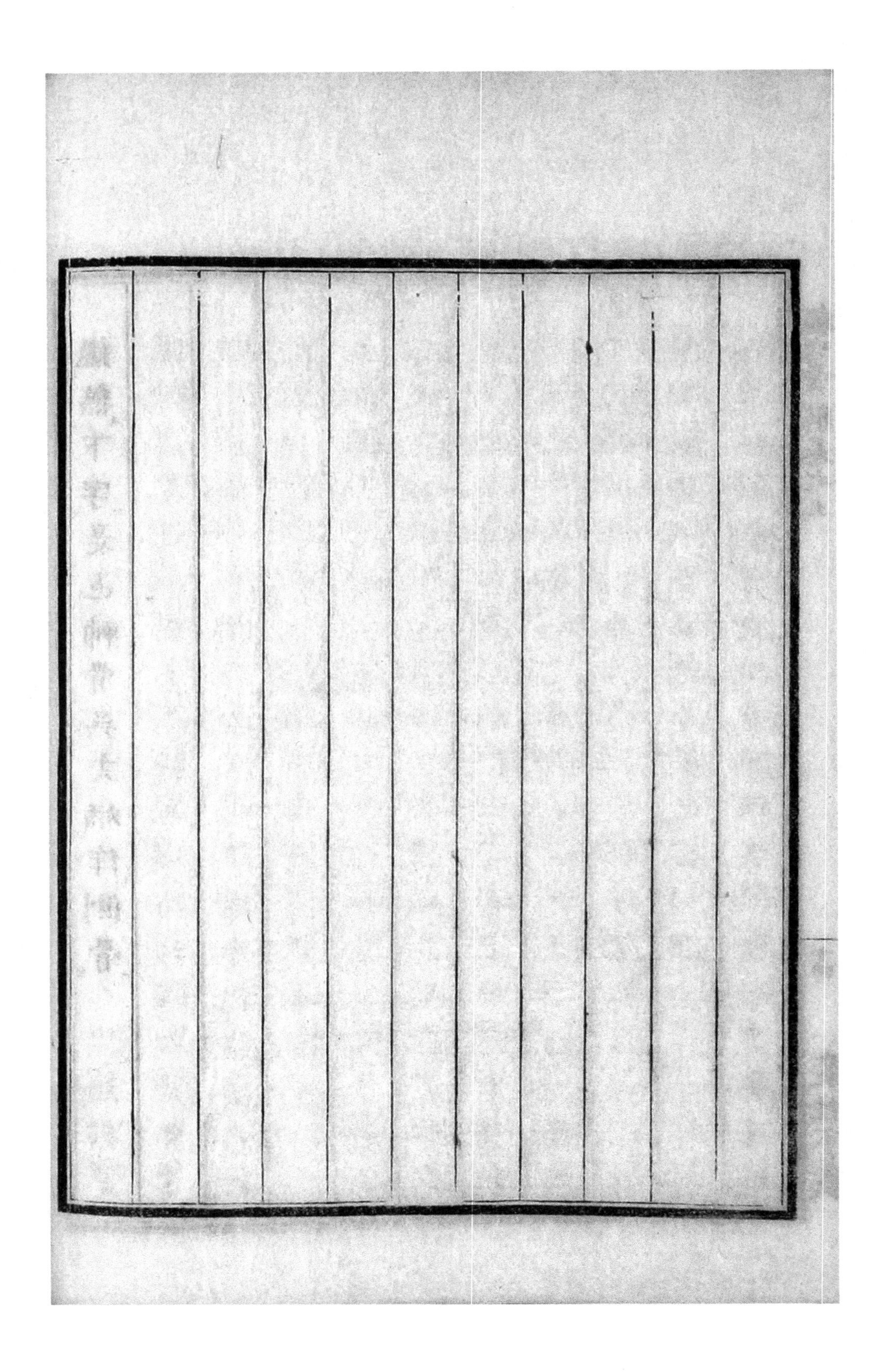

足陽明胃及股。凡三十穴

厲兌 靈樞 足大指內次指之端也。爲井。靈樞 爪甲上。與肉交者。素問 去爪甲角。如韭葉。甲乙 外側。衛生寶鑑

按繆刺篇曰。足中指次指爪甲上。王太僕既辨之。大指下。內字。行宜削。

內庭 靈樞 次指外間也。靈樞 陷者中。甲乙

按次指大指次指也。入門作次指三指岐骨陷中。金鑑作次指本節前岐骨外間非也。

陷谷 靈樞 中指內間。上行貳寸。陷者中也。爲腧。靈樞 足大指次指外間本節後陷者中。去內庭貳寸。甲乙

按明堂。谷作骨。甲乙。舊作大指次指間外臺從之。

共間上脘外字今據千金千金翼資生補之入門

作骨陷中

衝陽靈樞一名會原甲乙一名會湧聖濟足跗上伍寸陷者中也爲原搖足得之靈樞骨間動脈上去陷谷參寸甲乙內庭上伍寸入門

按跗甲乙作趺同參寸千金方一說神應類經作貳寸金鑑陷谷條作從衝陽下行貳寸共非也素問云刺跗上中大脉血出不止死張介賓曰即仲景所謂跗陽說已見千金翼脫肛篇曰衝陽穴恐有誤謬載于奇穴部

解谿靈樞上衝陽壹寸半陷者中也爲經靈樞腕上甲乙繫

鞋處。明堂足大指次指間直上跗上宛宛中。類經去內

庭上陸寸半。入門

按谿明堂作溪。甲乙註並類經曰氣穴論註作貳

寸半。今本作壹寸半。刺瘧論註作參寸半。誤。

豐隆靈樞去踝捌寸。別走太陰。靈樞外踝上捌寸。下廉胻

外廉陷者中。甲乙

按發揮無下廉之廉字。聚英踝作跗。非矣。

巨虛下廉素問一名下廉。靈樞一名下巨虛。千金下上廉參

寸。靈樞條口下壹寸。外臺三里下陸寸。入門舉足取穴。資生

按參寸外臺作貳寸。非。資生引明堂曰兩筋兩骨

罅陷宛宛中。蹲地坐取之。是誤。引上廉註也。肘后

曰上廉下一夫不取素問曰巨虛者蹻足䯒獨陷者下廉者陷下者也

條口甲乙下廉上壹寸甲乙上廉下貳寸外臺舉足取之資生三里下伍寸類經

按肘后曰上廉下一夫資生作廉上壹寸廉字上脫下字又引明堂作上廉下上下字畫易誤蓋傳寫之誤

巨虛上廉素問一名上廉靈樞一名上巨虛千金下三里參寸靈樞蹻足䯒獨陷者素問犢鼻下䯒外廉陸寸次註䯒骨外大筋內骨之間明堂兩筋兩骨罅陷宛宛中蹲坐取神應

按肘后曰。三里下一夫。不取。

三里素問一名下陵靈樞一名鬼邪千金膝下參寸分間素問

下陵膝下參寸。䯒骨外。三里也。爲合靈樞低跗取之。

同上䯒外廉。甲乙附脛骨外邊。捻之凹凹然也。肘后兩筋

肉分間。次註大筋肉筋骨之間。陷者宛宛中。明堂重按

之則足跗上動脈止矣。次註 小兒禁灸一類經說

按氣府論曰。三里以下至足中指各八俞。分之所

在穴空。次註曰。謂三里上廉下廉解谿衝陽陷谷。

內庭厲兌。八穴也。鍼解篇曰。所謂三里者下膝參

寸也。所謂跗之者。擧膝分易見也。新校正曰。按全

元起本。跗之作低胕。太素作付之。按骨空論跗之。

疑。跗上。刺腰痛論曰。刺陽明於骭前。次註曰。正三里穴也。按取此穴上逼骨下傍筋。不附骨則無驗。捷法甚多。不可從。肘后曰。以病人手横掩下併四指。名曰一夫。指至膝頭骨下。指中節是其穴。不取。一夫説既見。只以附脛骨以下係本註。聚英一説。入門。作犢鼻下參寸。非也。凡言膝上膝下皆除膝臏骨而言之。資生。本事方。作舉足取之。發揮。聚英。醫統。從之。蓋原鍼解篇。類經。作豎膝低跗取之。原邪氣藏府病形篇。

犢鼻 素問 膝下骭上。膝解。大筋中。甲乙 膝頭眼外側。入門 形如牛鼻。故名。類經 刺犢鼻者。屈不能伸。靈樞 禁灸。入門

刺膝髕出液爲跛（素問）
按膝下千金並翼方次註外臺作膝髕下胻上言
骭骨上骨空論云骭骨空在輔骨之上端次註曰
謂犢鼻也膝解舊作俠解千金次註外臺資生聚
英呉文炳同傳寫之誤也聖濟明堂發揮類經作
骨解胻千金資生作骭（骭脚脛也）外臺脚氣篇作膝蓋
上外角宛宛中不是金鑑作膝蓋骨下胻骨上陷
中俗名膝眼此處陷中兩旁有空膝眼非指穴名
然易混屈不能伸言取此穴屈足而取之
梁丘（甲乙）一名跨骨（大成）陽明郄膝上貳寸（甲乙）兩筋間（千金）
按丘金鑑作邱千金一說作參寸大成作膝髕上

壹寸。非。

陰市甲乙一名陰鼎。甲乙膝上參寸。伏兎下。若拜而取之。甲乙陷者中。次註膝內輔骨後。大筋下。小筋上。類經禁灸。甲乙雖云禁灸家傳亦灸七壯。大成○次註曰。灸三壯。

按千金。消渴篇。作當伏兎上行參寸。臨膝取之。入門。作伏兎陷中。又按素問云。股骨上空。在股陽出上膝肆寸。次註曰在陰市上。伏兎穴下。在承捷也。按今此處無穴名。蓋陰市穴也。未詳。梁丘直膝頭上。斜從分肉。到横骨傍横文止。髀關此其流注之谿谷。可考矣。

伏兎素問一名外勾。大全一名外丘。寶鑑膝上陸寸。起肉間。

甲乙正跪坐取之。資生膝蓋上柒寸。資生一說左右各三指。按捺上有肉起。如兔狀。因以此名。類經膝髀罅上。陸寸向裏。入門　禁灸甲乙○千金狂邪鬼語。灸百壯。

按兔素問作菟。千金翼。聚英。吳文炳同。兔菟通。吳昆作兔。外臺起肉作起内。寫誤。蓋言柒寸者。自膝蓋上度之。

髀關甲乙膝上伏兔後。交分中。甲乙跨骨橫紋中。入門　禁灸類經一說

按分。發揮。類經。作文。又通類經作膝上壹尺貳寸。抅矣。髀大全作脾。又作髃誤。

經穴彙解卷之五　十九　叢桂亭藏

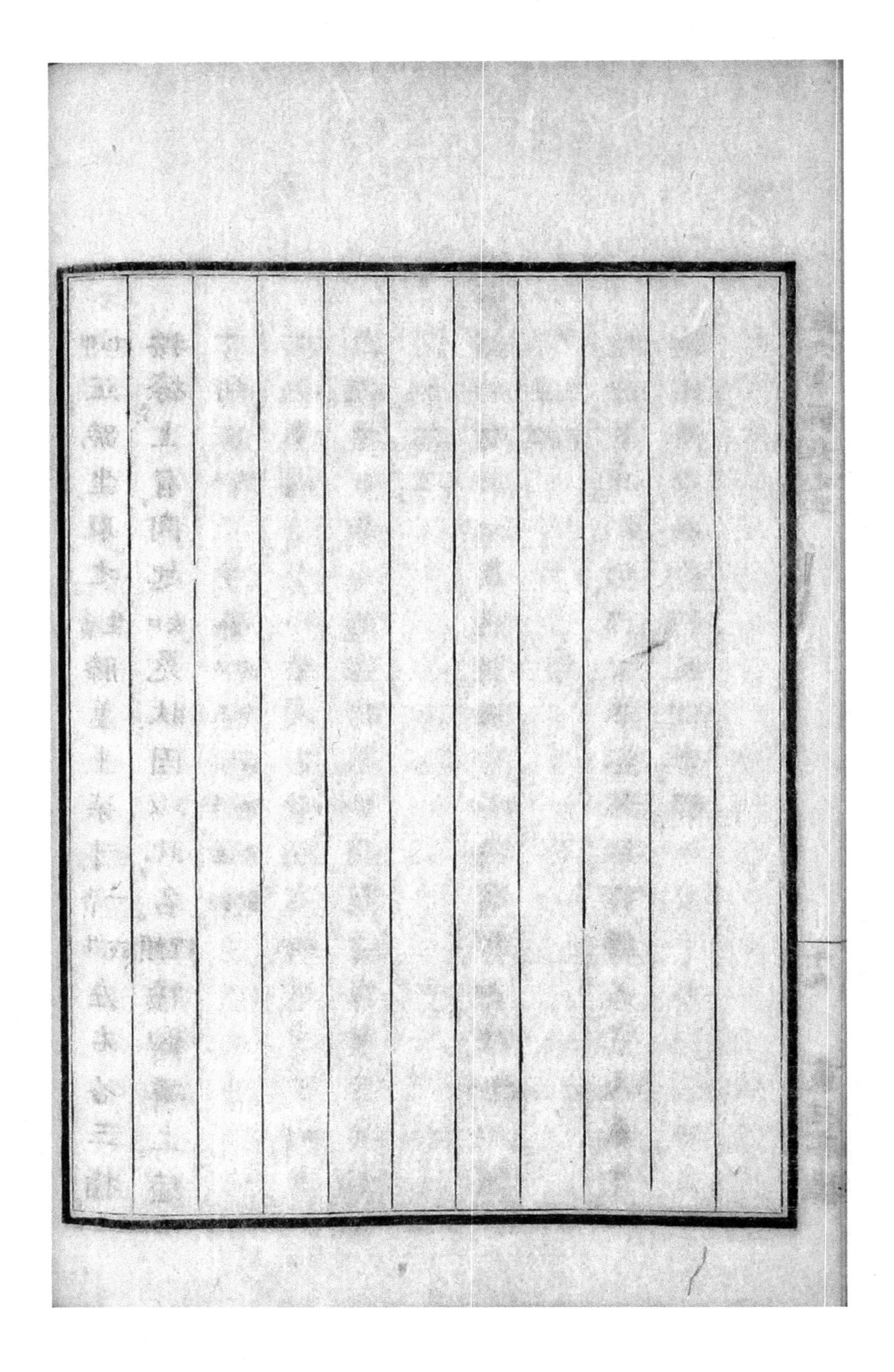

足少陽膽及股凡二十八穴

竅陰 靈樞 足小指次指之端也。爲井。靈樞 爪甲上與肉交者。素問 去爪甲如韭葉。甲乙 第四指外側。入門

按千金翼作去爪甲角如韭葉。

俠谿 靈樞 足小指次指之間也。爲滎。靈樞 二岐骨間本節前陷者中。甲乙

按俠聚英吳文炳作夾千金無二字金鑑作地五會下行壹寸拘矣。

地五會 甲乙 足小指次指本節後間陷者中。甲乙 灸之令人瘦不出三年死。甲乙 禁刺 入門

按資生類經聚英入門醫統吳文炳大全大成作下

去俠谿壹寸拘矣。凡取之骨節陷罅。不用折量所以古書不言分寸也。入門脫會字

臨泣靈樞上行壹寸半陷者中也。爲腧靈樞小指次指本節後間陷者中。去俠谿壹寸伍分。甲乙

按靈樞曰。臨泣上行言臨泣者。自俠谿上行千金。千金翼。外臺作去俠谿壹寸半是也。臨泣下當脫俠谿二字。此穴取岐骨際者。非也。岐骨間而不逼骨。故靈樞云。壹寸半陷者中。大全一說。去俠谿七分半非。

丘墟靈樞外踝之前下陷者中也。爲原靈樞外廉。踝下。如前。甲乙骨縱中。聚英伸脚取之。千翼一說

按入門。丘。作坵。金鑑。作邱。如大全。入門。作微。寶鑑。同。甲乙曰。去臨泣壹寸。千金千金翼外臺次註。明堂。資生。以下諸書。作參寸。此穴不可用分寸。故不取。

懸鍾甲乙一名絶骨。千金足外踝上參寸。動者脉中。足三陽絡。按之陽明脉絶乃取之。甲乙骨絶頭陷中。外臺當骨尖前。類經

按著字。衍。千金並翼方。外臺無脉字。外臺絡上有大字。陽明。跗上脈也。踝上就骭骨而上參寸許。則有絶隴處。其骨鋒尖者。俗呼揚枝骨也。其前是懸鍾也。千金咳嗽篇。作內踝上。上字誤也。又千金曰。脚

外踝上一夫。又云。肆寸。本事方資生一說。作肆寸。肆寸則與陽輔穴相並。不可從。外臺灸脚氣篇云。壹尺。肘后作外踝上參寸餘。指端取踝骨上際。屈指頭肆寸。便是與下廉頗相對。分間二穴也。千金翼云。外踝上三指。當骨上取法。以草從手指中文。橫三指。令至兩畔齊。將度外踝從下骨頭與度齊向上。當骨點之。並非是。神應經云。雖曰外踝上除踝參寸。必以絕髓處爲穴。此說爲得。

陽輔靈樞一名絕骨。素問一名分肉。類經外踝之上輔骨之前及絕骨之端也。爲經。靈樞外踝上肆寸。輔骨前絕端。如前參分。去丘墟柒寸。甲乙按氣穴論云。分肉二穴次註曰。外踝上絶骨之端。參分。筋肉分間陽維。脉氣所發。新校正曰。甲乙經。無分肉穴。疑是陽輔。素問直解曰。臍上參寸。水分穴也。恐非。又骨空論云。外踝上絶骨之端。灸之次註曰。陽輔穴也。刺瘧云。鍼絶骨。王曰。陽輔穴也。難經云。髓會絶骨。滑壽曰。絶骨一名陽輔。按與懸鍾同。一名。恐有差謬。去丘墟柒寸。則以踝骨。爲參寸。外臺作膝蓋下。外側參寸。傍廉骨當小指兩筋間。非也。類經。引次註曰。作如後貳分。今本與甲乙同。醫門摘要曰。輔骨當作骱骨。非也。千金翼諸風篇曰。外踝上參寸。一云。肆寸。又云。一夫。

光明靈樞去踝伍寸。別走厥陰。靈樞外踝上。甲乙陷者中。明堂

外丘甲乙足少陽郄。少陽所生。在外踝上柒寸。甲乙骨陷中。入門陽交後。增註

按丘金鑑作邱。甲乙。舊作內踝。寫誤。陽交。已作外踝。千金。外臺。以下諸書。作外踝。故今訂之。

陽交甲乙一名別陽。一名足窌。甲乙陽維之郄。在外踝柒寸。斜屬三陽分肉間。甲乙與外丘並。入門下廉後。外丘前。增註

按陽明經下廉。本經外丘。太陽經飛揚。共踝上柒寸。是三陽之分肉也。

陽陵泉靈樞膝外陷者中也。為合。伸而得之。靈樞膝下壹

寸。骺外廉。甲乙膝下。外尖骨前。千金陷中。千翼側骨下宛宛中。外臺

按靈樞曰。陽之陵泉。説已見神應經。無泉字。蓋脱字也。臓腑病形篇曰。其寒熱者。取陽陵泉。刺腰痛篇云。刺少陽成骨之端。出血。成骨在膝外廉之骨獨起者。婁善全曰。按此謂陽陵泉。呉昆曰。陽關穴也。張註曰。此乃胻骨之上端。所以成立其身。故曰成骨。甲乙成作盛。氣穴論曰。寒熱。俞在兩骸厭中二穴。次註曰。骸厭。謂脚外俠膝之骨。厭中。王氷捨兩字。爲骸厭。兩字不可除。集註曰。膝解爲骸。兩骸厭中二穴。謂少陽之陽陵泉也。入門。作膝品骨下

壹寸。外廉兩骨陷中。類經。作尖骨、前筋骨、間。亦通。
神應經。作膝下外骨、前陸分。拘矣。類經。入門。聚英。
醫統。呉文炳。金鑑。大成。作蹲坐、取。是原于臓腑病
形篇。陽陵泉者。正竪膝予之齊。取之說也。
陽關甲乙一名關陵。千金註一名陽陵。聚英一名關陽。寶鑑陽
陵泉、上參寸。犢鼻、外。陷者中。甲乙外輔骨、上。膝蓋傍。
筋骨、間。同本　禁灸甲乙禁針入門
按千金。作關陽。蓋錯置。後人遂以為一名。歟。資生。
入門。作貳寸。金鑑。作膝上貳寸。非也。素問云。寒府
在附膝外解營。類經曰。謂在膝下外輔骨、解間也。
凡寒氣自下而上者。必聚於膝。是以膝臏尤寒。故

名寒府營屈也當足少陽經之陽關

中犢甲乙髀骨外膝上伍寸分肉間陷者中甲乙禁刺灸入門

按犢千金外臺以下諸書作瀆未知孰是入門作下瀆字誤又作大骨外聚英呉文炳並曰少陽之絡別走厥陰諸書所不言也本經之絡乃光明也恐誤本事方曰風市是中瀆非詳于奇穴部

環跳甲乙一名髖骨大全一名分中呉昆兩髀厭分中素問髀樞中側卧伸下足屈上足取之甲乙硯子骨下宛宛中神應屈上足横紋頭骨下容指陷中増註

按千金作鐶銚千金翼作環銚髀厭猶兩骰厭中

之厭。髀樞謂髀上廉。就小腹動搖處。其下直下行當膝頭者也。氣府論。有髀樞中傍各一之文。恐陰股横紋將盡之中。礝子骨下傍。是穴也。屈上足按之則自有陷。可容指。伸則筋骨張起。其陷即無焉。硯子骨。入門。作礝子骨。千金翼一說。無子字。大全。作硯子骰。與股通。分中。是分肉之分。中。即繆刺論所謂刺樞中。厥病篇。所謂側而取之。在樞合中之中。言髀樞中。吳昆曰。分中。穴名。即環跳也。以其當身之半。故曰分中。果是異說。暫係之一名。以示學者。外臺曰。環跳。風市。疑其別名。非。醫門摘要曰。按此穴。肩上前後左右之中央。自兩乳引繩而取之。

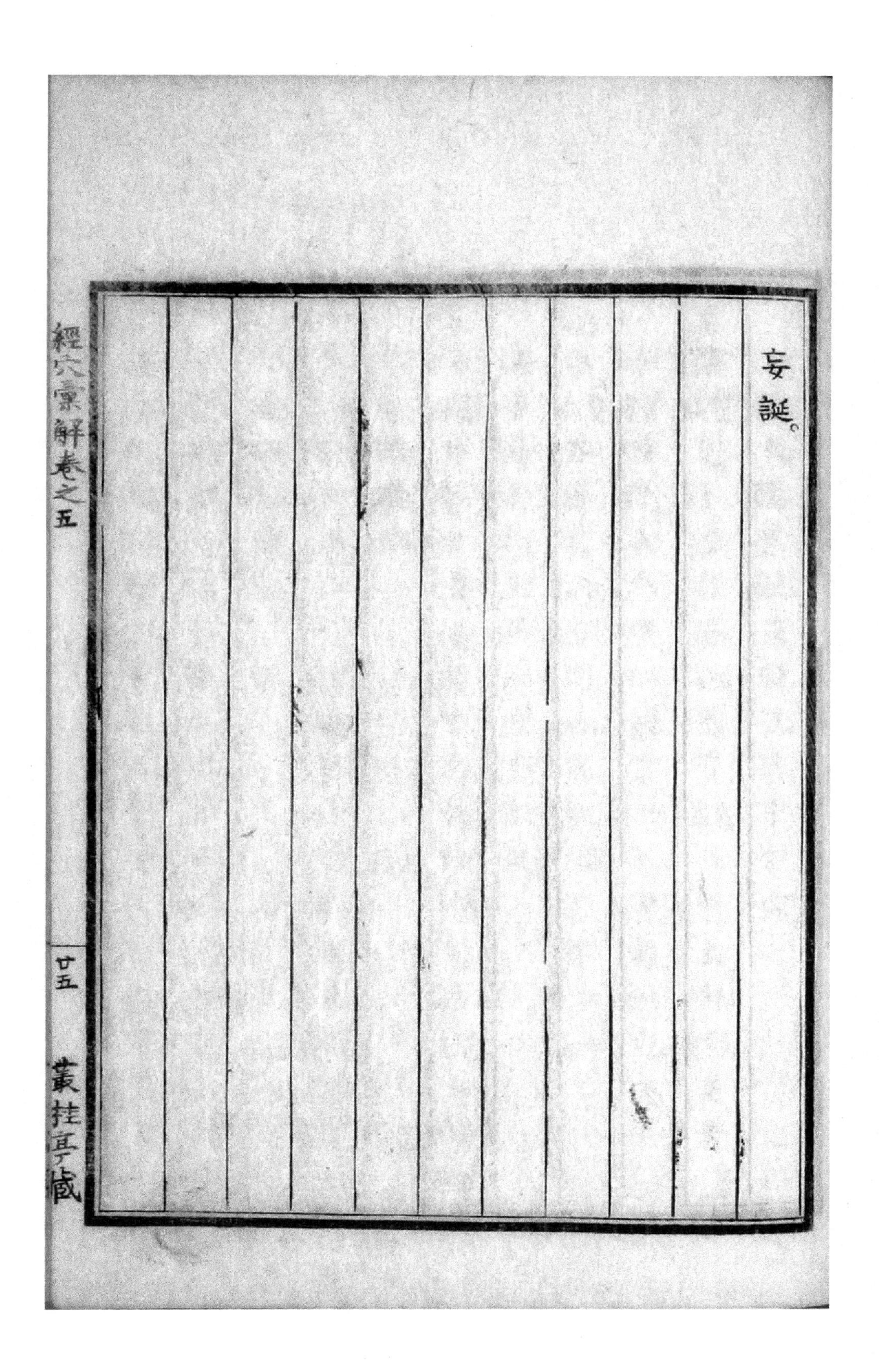

妄誕。

足太陽膀胱及股。凡三十六穴

至陰 靈樞 足小指之端也。爲井。靈樞 爪甲上與肉交者。素問

小指外側。去爪甲如韭葉。甲乙 爪甲角。千金 宛宛中。明堂

通谷 靈樞 本節之前。外側也。爲滎。靈樞 陷者中。甲乙

按本節小指之本節也。承上文。

束骨 靈樞 本節之後。陷者中也。爲腧。靈樞 足小指外側。甲乙

赤白肉際。次註

京骨 靈樞 足外側。大骨之下。爲原。靈樞 赤白肉際。陷者中。

按而得之。甲乙

按聚英曰。小指本節後大骨名京骨。其穴在骨下。

而赤白肉。作赤白骨。字之誤。

金門甲乙一名關梁甲乙足太陽郄一空在足外踝下甲乙陷中千金外踝下壹寸類經陽維所別屬甲乙

按聚英作梁關醫統呉文炳大成同一空骨空也聚英作申脉下壹寸即外踝下壹寸伍分近白肉處何有骨空又神應經作外踝下少後丘墟後申脉前可謂欠其詳外踝下可容爪甲而定申脉當其下摸索骨空而得之

申脉甲乙一名鬼路千金一名陽蹻大全外踝之下半寸所素問陽蹻所生足外踝下陷者中容爪甲許甲乙禁灸入門

按資生發揮入門呉文炳大成作白肉際恐非此

穴。外踝下伍分所容爪甲許則不至白肉際。故不取。千金曰。勞冷氣逆腰髖冷痹屈伸難灸陽蹻一百壯。在外踝下。容爪指此穴大全爲一名據此。

僕參甲乙一名安邪。甲乙跟骨下陷者中。拱足得之。足太陽脉之所行也爲經甲乙白肉際。明堂

按下醫統作上誤爲經本輸篇及本書以崑崙爲經穴疑誤。故今削之。

崑崙靈樞外踝之後。跟骨之上。爲經。靈樞陷中。細脉動應手。甲乙外踝從地直上參寸。兩筋骨中。千金姙婦刺之落胎。聚英

按入門作崙崑誤。大全曰。一名下崑崙。資生曰。明

堂。有上崑崙。又有下崑崙。銅人只云崑崙。而不載下崑崙。按千金翼明堂有内崑崙。然則下崑崙非一名。自是異穴也。三崑崙。詳于奇穴部。蓋其中一崑崙即此穴。素問云。外踝後灸之。次註曰崑崙穴也。

跗陽甲乙一名附陽大全大成。陽蹻之郄。足外踝上參寸。太陽前。少陽後。筋骨間甲乙陷者中。明堂宛宛中資生飛揚下。入門

按跗。千金。千金翼。次註。外臺。聖濟。資生。大全。寶鑑作付。明堂。類經。聚英。入門。金鑑。醫統。作附。吳文炳陽。作揚。少陽。膽經也。太陽。本經也。諸書。皆無異論。

然太陽。恐少陰之誤也。大成。引聚英。作一名付陽。大全。亦同。附。付。跗。相通。非一名。暫記而不削。

飛揚靈樞一名厥陽。甲乙去踝柒寸。別走少陰。靈樞足外踝上。甲乙陷者中。明堂骨後。入門

按靈樞。揚。作陽。聖濟。發揮。類經。金鑑。同。資生。大全。作玖寸。非。刺腰痛篇曰。刺飛揚之脉。在內踝上伍寸。少陰之前。與陰經之會。似指此穴。靈樞。甲乙。並云。飛揚。足太陽之絡。別走少陰。然內踝上伍寸。則蠡溝穴也。按內當作外。伍當作柒。暫記俟智者。刺腰痛篇新校正。有伍寸作貳寸。爲復溜穴之說。其文繁。故不記于此。

承山靈樞一名魚腹。一名肉柱。甲乙一名傷山。千金腨下去地壹尺所。素問兌腨腸下分肉間陷者中。甲乙按傷山。寶鑑。大成。作腸山。果是也。腨外臺。作踹非也。資生。聚英。一云腿肚下。類經。作腿肚下尖入門。作拱足去地壹尺取之。

承筋甲乙一名腨腸一名直腸甲乙腨下陷脉。素問腨腸中央陷者中。甲乙禁刺甲乙

按腨。外臺。作踹非。千金曰。脛後從脚跟上柒寸。類經。聚英。入門。大全。金鑑。從之。柒寸二字誤。次註作腨中央如外。如外二字亦誤。外臺引救急方云。以繩從脚心下度至脚踵。便截斷度則迴此度從脚

跟縱量向上盡度頭當腨下際宛宛中是穴千金霍亂篇註又有取繩度之之法恐致差謬並不取

合陽（甲乙）膝約文中央下貳寸（甲乙）

按千金發揮聚英大成金鑑作參寸入門大全寶鑑一說作壹寸並非也

委中（素問）一名郄中（素問）委中央（靈樞）一名血郄（類經）一名腿凹（金鑑）膕中央為合委而取之（靈樞）約紋中動脈（甲乙）曲脚之中背面取之又云膝後屈處（次註）兩筋間（神應）陷中（類經）令人面挺腹地而取之（資生）一云禁灸（發揮）

按委屈也緩緩屈膝而取之病形篇曰屈而取之即是也素問曰刺解脈在郄中結絡如黍米刺之

血射以黑。見赤血而已。次註曰。郄中則委中穴。靈樞曰。膀胱合入於委中央。又曰。若脉陷。取委中央。併入。一名資生。引甄權曰。曲瞅內。

委陽（素問）三焦下輸。在足於太陽之前。少陽之後。出於膕中外廉。名曰委陽。是太陽絡也。手少陽經也。三焦者。足少陽太陰之所將。太陽之別也。上踝伍寸。別入貫腨腸。出於委陽。並太陽之正。入絡膀胱。約下焦。（靈樞）屈伸而索之。（同上）膝腕橫紋尖。（入門）

按四時氣篇云。邪在三焦約。取之太陽大絡。甲乙索。作取足太陽之陽。舊作指。今據甲乙及諸書訂。之前。千金翼。資生。作後。而無少陽之後四字。蓋脫文也。甲乙。外廉下有兩筋間。扶承下陸寸。此足太陽之別絡也。屈身而取之之文扶承。是承扶之穴千金。資生。聖濟等。並作扶承。詳于承扶下。扶承下陸寸。千金。外臺。資生。聖濟等皆從之。然承扶下陸寸者。殷門穴也。殷門註曰。肉郄下陸寸。肉郄。承扶一名也。因知承扶下陸寸五字。殷門之註。誤寫于茲也。否則扶承二字。殷門之訛。故不取也。屈身是屈伸之訛。外臺。入門。同。資生。類經。吳文炳。寶鑑。醫統。金鑑。既作屈伸。是也。委陽。實在委中之外。兩筋間。不問分寸自明。委。屈也。委陽名義固然。故扶承下陸寸五字。爲衍文。次註曰。去臂下橫文陸寸。亦承甲乙謬醫學綱目曰。詳銅人云。委陽在承扶下陸寸。以今經文考之當壹尺陸寸。蓋銅人說始于甲乙。甲乙之說乃脫簡而脫去壹尺二字也。今按其取穴是雖然甲乙等。必取近穴以註釋故言膕外廉。豈歷觀門浮郄而取諸承扶乎。未見經註用尺餘聚英陸寸。作貳寸陸分醫統。吳文炳作壹寸陸分。不可解矣。入門作委中外貳寸。鑿矣。諸家於經註讀承扶下陸寸字而不讀膕中外廉字此何心哉。註證發微。削膕中外廉字其踈謬最甚。次註謂浮郄穴上側也者。亦誤矣。

浮郄甲乙委陽上壹寸。屈膝得之。甲乙膕外廉横紋上。壹

寸。增註

按後人不知甲乙委陽，註有衍文。於承扶，下伍寸取此穴者，妄也。甲乙為屈膝，得之可以證也。千金、千金翼。作展。足外臺資生發揮聚英寶鑑。作展膝。非。

殷門甲乙肉郄，下陸寸甲乙膝後膕上兩筋之間。去臀下橫文，陸寸。次註禁灸入門

按肉郄者。承扶，一名。大成作浮郄，下參寸。非也。

承扶甲乙一名肉郄。一名陰關。一名皮部。甲乙尻臀，下。股陰腫上約文，中。甲乙禁灸入門

按千金。千金翼。明堂。資生。大全。入門。作扶承。承扶。

扶承。混稱通用。千金。千金翼。作股陰下文中。註曰。一云。尻臀下陷文中。外臺。作股陰上衡紋中。一云。股陰下衡紋中。明堂。作尻臀下衡文中。聚英。作股陰上衡文中。入門。作橫紋中。資生。腫。作衡。按腫。恐衍。衡。集韻。與橫通。衡。說文。通道也。其義似通。然未見指約紋。而為衡紋者。衡。疑衡誤。

水户醫官介川知明　龍

門人

水户　猿田敬　子敬

水户　本間德　有隣　同校

江户　山形豹　公班

經穴彙解卷之五

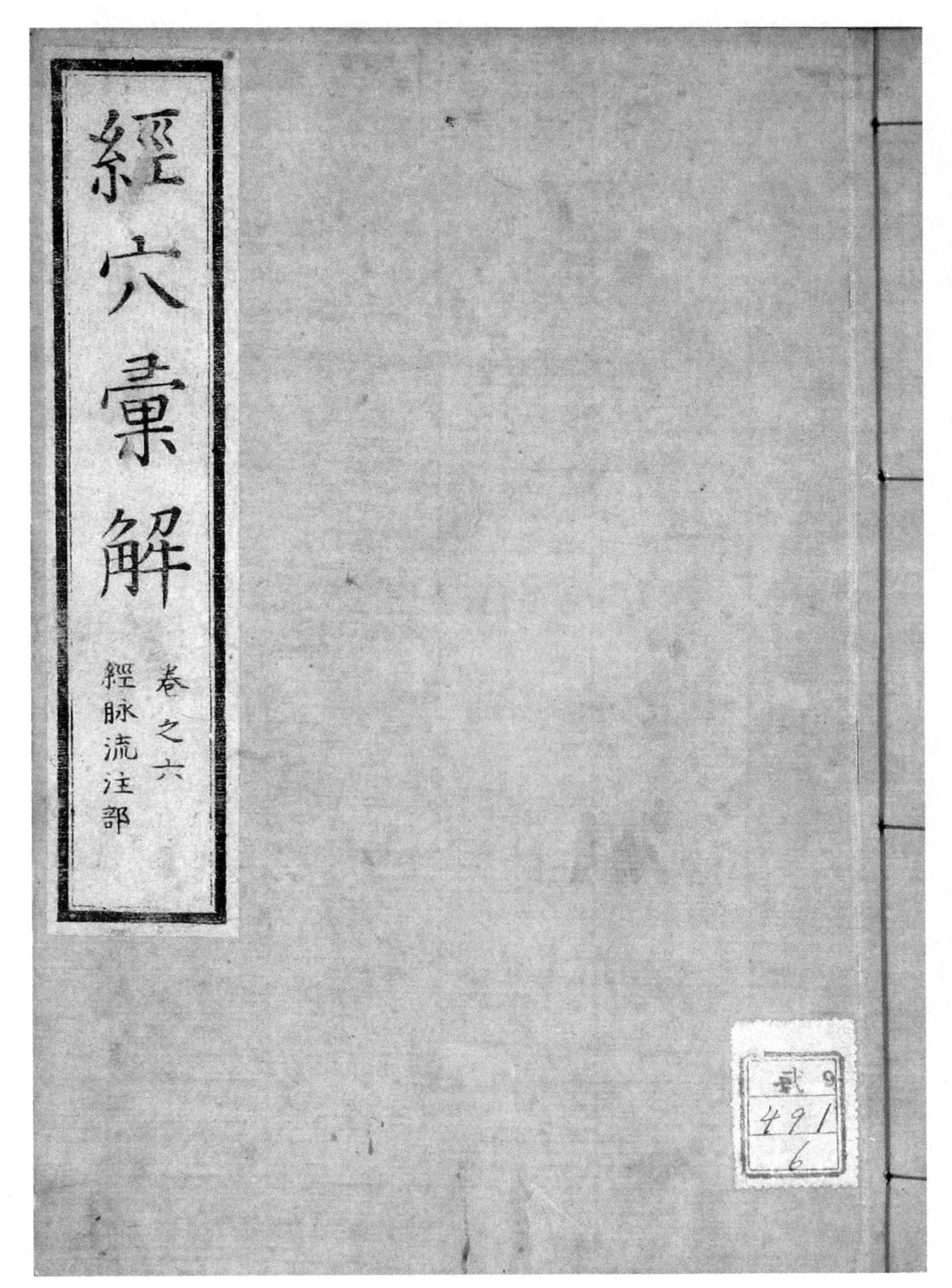
經穴彙解
卷之六
經脉流注部
貳
491
6

門
ヤ武
491
巻
6

經穴彙解卷之六目次

經脉流注第十

手少陽三焦經左右凡四十四穴

足少陽膽經左右凡八十六穴

足厥陰肝經左右凡二十八穴

督脉凡二十八穴

任脉凡二十四穴

右單穴五十二雙穴六百八

經穴彙解卷之六

水戸侍醫　南陽　原昌克子柔　編輯

經脉流注第十

素問云。夫人之常數。太陽常多血少氣。少陽常少血多氣。陽明常多氣少血。少陰常少血多氣。厥陰常多血少氣。太陰常多氣少血。此天之（天恐人字）常數。（新校正云。甲乙經。十二經水篇。血氣多少。與素問不同。太陽多血多氣。太陰多血少氣。）足太陽與少陰爲表裏。少陽與厥陰爲表裏。陽明與太陰爲表裏。是爲足陰陽也。手太陽與少陰爲表裏。少陽與心主爲表裏。陽明與太陰爲表裏。是爲手之陰陽也。

難經云。經脉者。行血氣。通陰陽。以榮於身者也。其始從中焦注手太陰陽明。陽明注足陽明太陰。太陰注手少陰太陽。太陽注足太陽少陰。少陰注手心主少陽。少陽注足少陽厥陰。厥陰復還注手太陰。

醫種子曰。足三陰經。胸腹無脉。銅人圖强爲陰經者。非也。然人手之陰經。自腋而出。足之陰經。自髀而入。入者入於腹内。故能屬臟絡府。上膈挾咽連舌入腦。非在皮膚肌肉之外者也。註圖者惑於甲乙。强肏俞胸俞衝脉之穴。以爲屬足三陰經脉氣所發。十四經發揮尤爲謬甚。眞千古之長夜矣。徧攷陰陽離合。氣府。氣穴。經脈。經别等篇。深知所列之穴的非陰經故表而出之。

手太陰肺經左右凡二十二穴

經脉篇云。肺手太陰之脉。起於中焦。下絡大腸。還循胃口。上膈屬肺。從肺系橫出腋下。雲門中府下循臑內。天府俠白行少陰心主之前。下肘中。尺澤循臂內上骨下廉。孔最入寸口。經渠太淵上魚。循魚際。即魚際出大指之端。少商其支者從腕後列缺直出次指內廉出其端。

又云。手太陰之別。名曰列缺。起於腕上分間。並太陰之經。直入掌中。散入於魚際。○取之去腕半寸。馬蒔曰。半寸。當作寸半。別走陽明。

經別篇云。手太陰之正。別入淵腋少陰之前。入走肺。散之大腸。上出缺盆。循喉嚨。復合陽明。

繆刺論云。邪客於手足少陰太陰足陽明之絡。此五絡皆會於耳中。上絡左角。

邪客篇云。手太陰之脉。出於大指之端。内屈。循白肉際。至本節之後太淵。留以澹外屈。上於本節之下。内屈與陰諸絡會於魚際。數脉並注。其氣滑利。伏行壅骨之下。外屈。出於寸口而行。上至於肘内廉。入於大筋之下。内屈上行臑陰。入腋下。内屈走肺。此順行逆數之屈折也。

經筋篇云。手太陰之筋。起於大指之上。循指上行。結於魚後。行寸口外側。上循臂。結肘中。上臑内廉。入腋下。出缺盆。結肩前髃。上結缺盆。下結胷裏。散貫賁。合貫下抵季脇。

中府手太陰之會。○氣穴論。新校正曰。手足太陰之會。類經同。雲門手太陰脉氣所發。

天府同上俠白手太陰之別。尺澤手太陰之所入也。孔最手太陰之郄。

列缺別走陽明。經渠手太陰之所行。大淵手太陰之所注。魚際手太陰脉之所溜。○聖濟曰。所流。少商手太陰脉之所出。

按千金。有臑會。太陽經註曰。銅人經。屬三焦。外臺無。

中府雲門二穴。入脾經。程行道曰。論行不論經也。腧穴折衷曰。諸家皆以爲本經之穴。始於中府。標幽賦。蠡海集。錦囊秘録。並曰。本經之穴。始於雲門。今考其經行之勢。則以雲門爲始者是也。

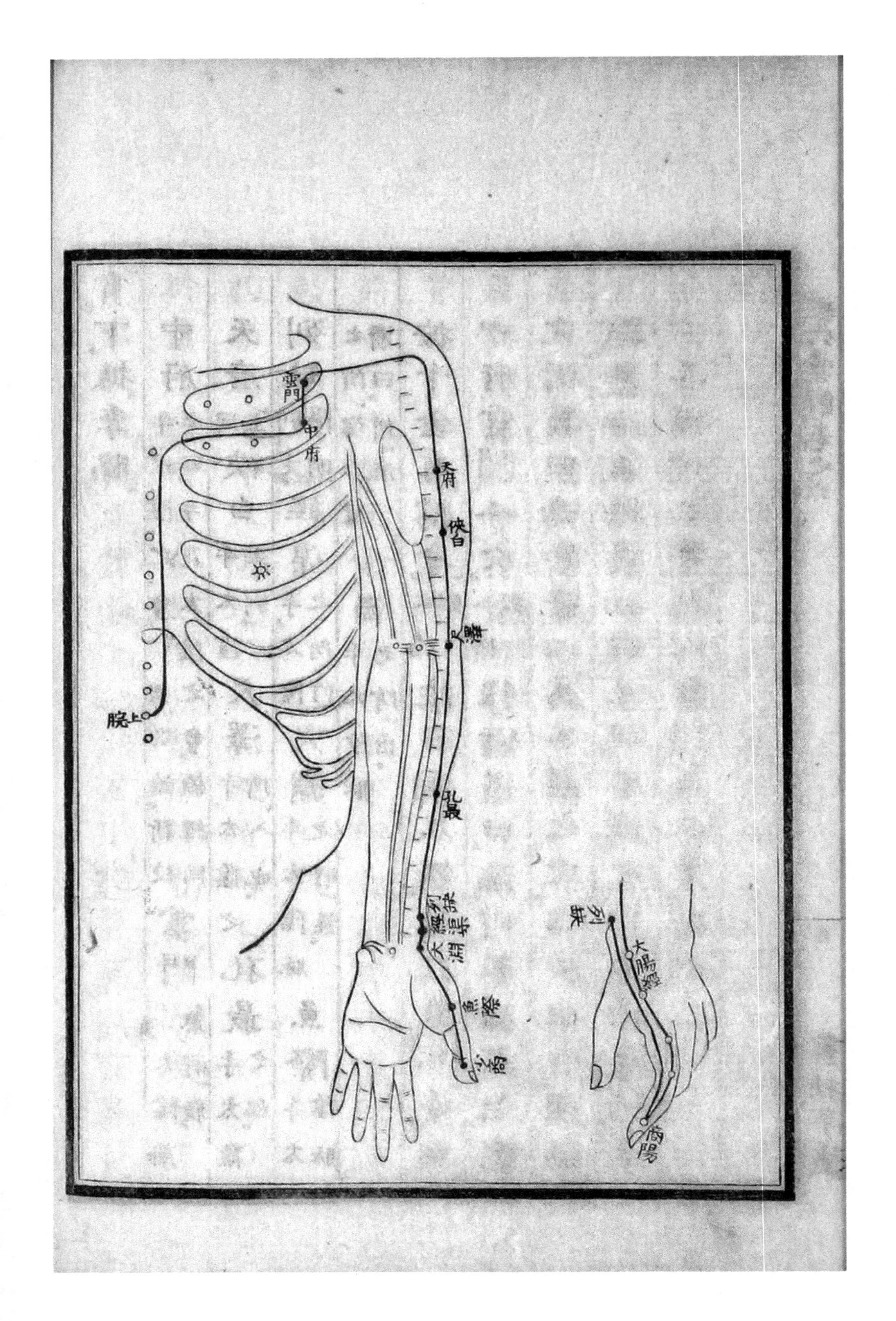
雲門
中府
天府
俠白
尺澤
孔最
列缺
經渠
太淵
魚際
少商
上脘
列缺
大腸經
商陽

手陽明大腸經 左右凡四十二穴

經脈篇云。大腸手陽明之脈起於大指次指之端。商陽 循指上廉。二間 三間 出合谷兩骨之間。合谷 上入兩骨之中。陽谿 循臂上廉。偏歷 溫溜 下廉 上廉 三里 入肘外廉。曲池 上臑外前廉。肘髎 五里 臂臑 臑會 上肩出髃骨之前廉。肩髃 上出於柱骨之會上。巨骨 秉風 下入缺盆。天鼎 絡肺下膈屬大腸。其支者從缺盆上頸。扶突 貫頰入下齒中。還出挾口。地倉 交人中。左之右。右之左。禾髎 上挾鼻孔。迎香

又云。手陽明之別名曰偏歷。去腕參寸。別入太陰。其別者上循臂乘肩髃上曲頰偏齒。其別者入耳合於宗脈。

氣府論云手陽明脈氣所發者二十二穴鼻空外廉項上各二（次註謂迎香扶突二穴也）大迎骨空各一（大迎穴名也）柱骨之會各一（謂天鼎二穴也）髃骨之會各一（謂肩髃二穴也）肘以下至手大指次指各六俞（謂三里陽谿合谷三間二間商陽六穴也）

經別篇云手陽明之正從手循膺乳別於肩髃入柱骨下走大腸屬於肺上循喉嚨出缺盆合於陽明也

經筋篇云手陽明之筋起於大指次指之端結於腕上循臂上結於肘外上臑結於髃其支者繞肩胛挾脊直者從肩髃上頸其支者上頰結於頄直者上出手太陽之前上左角絡頭下右頷

商陽（手陽明脈之所出）二間（所溜○寶鑑作所流非）三間（所注）合谷（所過）

陽谿（所行）偏歷（別走太陰）溫溜（郄）下廉　上廉（抵陽之會。外臺作

陽明之會）三里　曲池（所入）肘髎　五里　臂臑（陽明絡之會。

聚英作手足大陽陽維之會）臑會（絡。氣府論云。手少陽之會。次註曰。手陽明少陽二絡氣會。

之會。聚英曰。陽維會。）肩髃（蹻脈之會。聚英曰。足少陽陽蹻之會。）巨骨（同上）天鼎

（所發）扶突（同上）禾髎（同上）迎香（手足陽明之會。氣府論曰。手陽明脉氣所發。次註

曰。謂迎香扶突）

按千金無臑會。（入肺經）發揮同。（入三焦經）外臺曰。兩傍四

十二穴並下三單穴共四十五穴。無迎香。（入胃經）有

肩髎。（三焦）兌端。齗交。水溝。（共督脉）甲乙經曰。兌端手陽

明脉氣之所發。

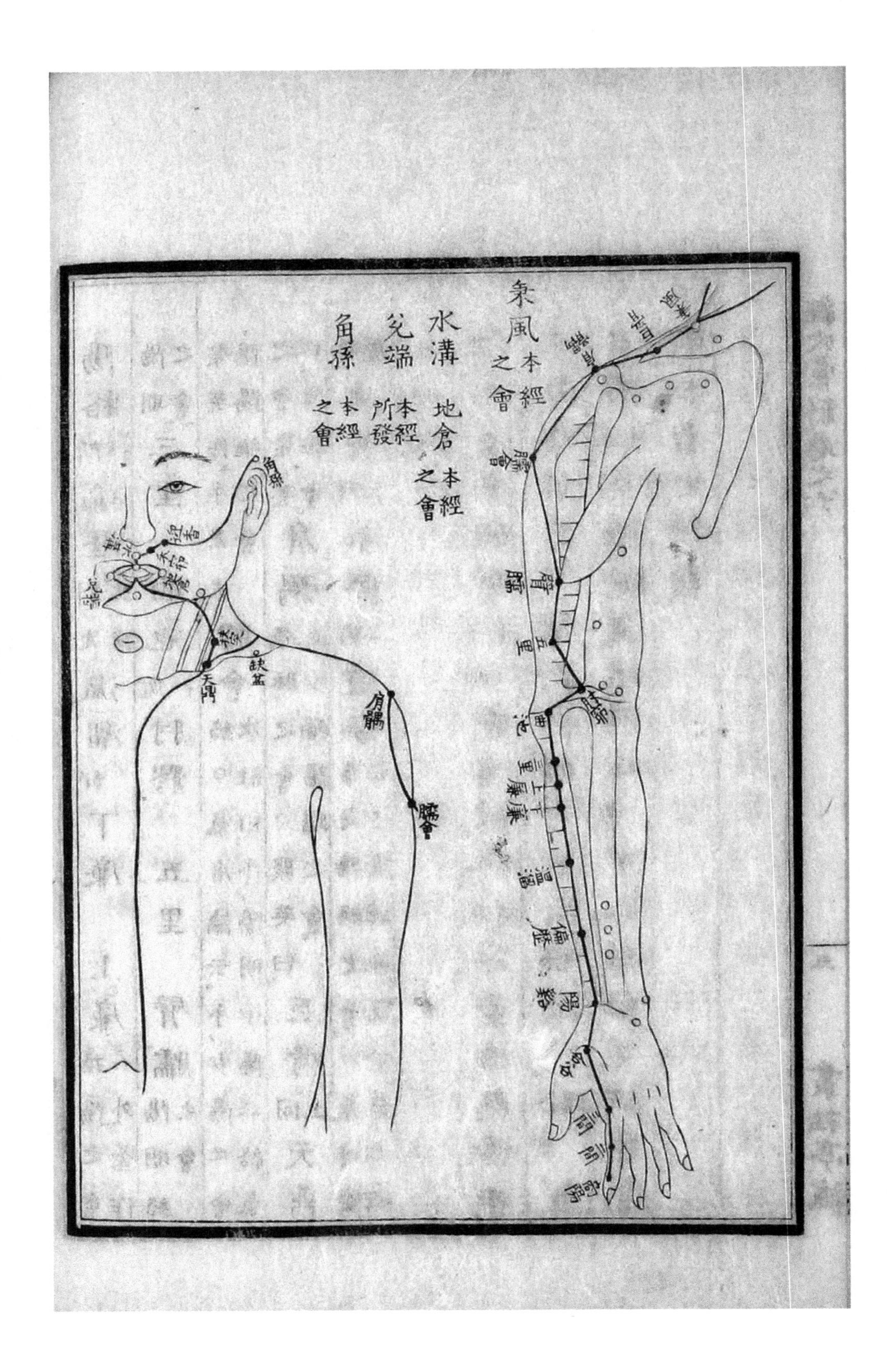
水溝 地倉 本經之會
兌端 本經所發
角孫 本經之會
秉風 本經之會
天鼎
缺盆
天門
肩髃
臂臑
五里
曲池
三里
上廉
下廉
溫溜
偏歷
陽谿
合谷
三間
二間
商陽

足陽明胃經　左右凡九十二穴

經脈篇云。胃足陽明之脈。起於鼻之交頞中。旁（迎香）納太陽之脈（睛明）下循鼻外（承泣。四白。巨窌）入上齒中。還出挾口環脣（地倉）下交承漿。却循頤後下廉。出大迎。循頰車上耳前（下關）過客主人。循髮際（懸顱。懸釐。頷厭。頭維）至額顱（神庭）其支者。從大迎前下人迎。循喉嚨（水突。氣舍）入缺盆。下膈屬胃（上中脘）絡脾。其直者。從缺盆下乳內廉（氣戶。庫房。屋翳。膺窓。乳中。乳根）下（不容。承滿。梁門。關門。太乙。滑肉門）挾臍（天樞。外陵。大巨。水道。歸來）入氣街中（氣衝）其支者。起於胃口。下循腹裏。下至氣街中而合。以下髀關。抵伏兎。下膝臏中（陰市。梁丘。犢鼻）下循脛外廉（三里。上巨虛。條口。下巨虛）下足跗（解谿。衝陽）入中指內間（陷谷。內庭。厲兌）其支者下廉三寸而別豐隆下入中指外間其支者別跗上入大指間出其端。

又云足陽明之別名曰豐隆。去踝八寸。別走太陰。其別者循脛骨外廉上絡頭項合諸經之氣下絡喉嚨。

氣府論云。足陽明脈氣所發者六十八穴。額顱髮際傍各三。次註謂懸顱陽白頭維左右共六穴也。面鼽骨空各一。謂四白穴也。大迎骨空各一。大迎穴名也。人迎各一。人迎穴名也。缺盆外骨空各一。謂天髎二穴也。膺中骨間各一。謂膺窓等六穴也。氣戶庫房屋翳乳中乳根。侠鳩尾之外當乳下三寸侠胃脘各五。謂不容承滿梁門關門太一五穴也。侠臍廣三寸各三。謂滑肉門天樞外陵也。下臍二寸侠之各三。謂大巨水道歸來也。氣街動脉各一。氣街穴名也。伏兎上各一。謂髀關二穴也。三里以下至足中指各八俞分之所在六空。謂三里、上廉、下廉、解谿、衝陽、陷谷、內庭、厲兌、八穴也。

經別篇云。足陽明之正上至髀入於腹裏屬胃散之脾上通於心上循咽出於口上頞䪼還繫目系合於陽明。

經筋篇云。足陽明之筋起於中三指結於跗上邪外上加於輔骨上結於膝外廉直上結於髀樞上循脇屬脊其直者上循骭結於尻其支者結於外輔骨合少陽其直者上循伏兔上結於髀聚於陰器上腹而布至缺盆而結上頸上挾口合於頄下結於鼻上合於太陽太陽為目上綱陽明為目下綱其支者從頰結於耳前。

動輸篇云。足之陽明。何因而動。岐伯曰。胃氣上注於肺。其悍氣上衝頭者。循咽上走空竅。循眼系入絡腦。出顑下客主人。循牙車合陽明。並下人迎。此胃氣別走於陽明者也。

平人氣象論云。胃之大絡。名曰虛里。貫鬲絡肺。出左乳下。其動應衣。脈宗氣也。

承泣陽蹻。任脈。足陽明之會。　四白所發　巨髎蹻脈之會　地倉蹻脈。手足陽明之會。○蹻。聚英。作任。　大迎足太陽脈氣所發。太陽。外臺。作陽明。　頰車所發　上關手少陽。足陽明之會。○次註曰。手足少陽。足陽明。三脈之會。　下關足陽明。少陽之會。○氣府論云。足少陽。脈氣所發。　頭維足少陽。陽維之會。○聚英。陽維。作陽明　人迎所發○聚

英曰。足少陽之會。水突所發氣舍同上缺盆氣府論云。足少陽脈氣所發。○次註
曰。足陽明脈氣所發。○新校正曰。骨空註。作手陽明。氣戶所發。○以下直行。庫房同上
屋翳外臺曰。足陽明脈氣所發。膺窗次註曰。足陽明脈氣所發。乳中同上乳根
不容承滿梁門關門太乙滑肉門
天樞外陵大巨水道歸來氣衝乳根
以下十三穴。足陽明脈氣所發。歸來一穴。甲乙無說。次註曰。足陽明脈氣所發。髀關氣府論云
足陽明脈氣所發。伏兔上各一。次註曰。髀關二穴也。○以下支。伏兔所發陰市同上梁
丘郄犢鼻所發三里所入。○氣府論云。足陽明脈氣所發。上廉與大腸合。條
口所發下廉與小腸合。豐隆別走太陰。解谿所行衝陽所過陷谷所注
内庭所溜。○寶鑑曰。所流。厲兌所出
按中指外間。岡本曰。足中指者。大指之次指。不與

手中指同馬按手足五指。以在其中曰中指足而以大指次指爲中指者可疑。入中指外間之中指蓋誤字。何則本輸篇云厲兌者足大指次指之端也。內庭次指外間也。以次指言之未嘗言之中指。至陷谷乃曰中指內間上行貳寸。夫陷谷在第三指內間若此中指爲大指次指則與厥陰經行間同處也。凡曰中指者手足共以第三指爲中指也。又類經曰大指次指謂大指之次指。卽食指也。足亦同古人不必以大指次指爲中指中指當作次指。

按頰車。大迎。缺盆。氣衝四穴。經脉篇。膽經條。明說

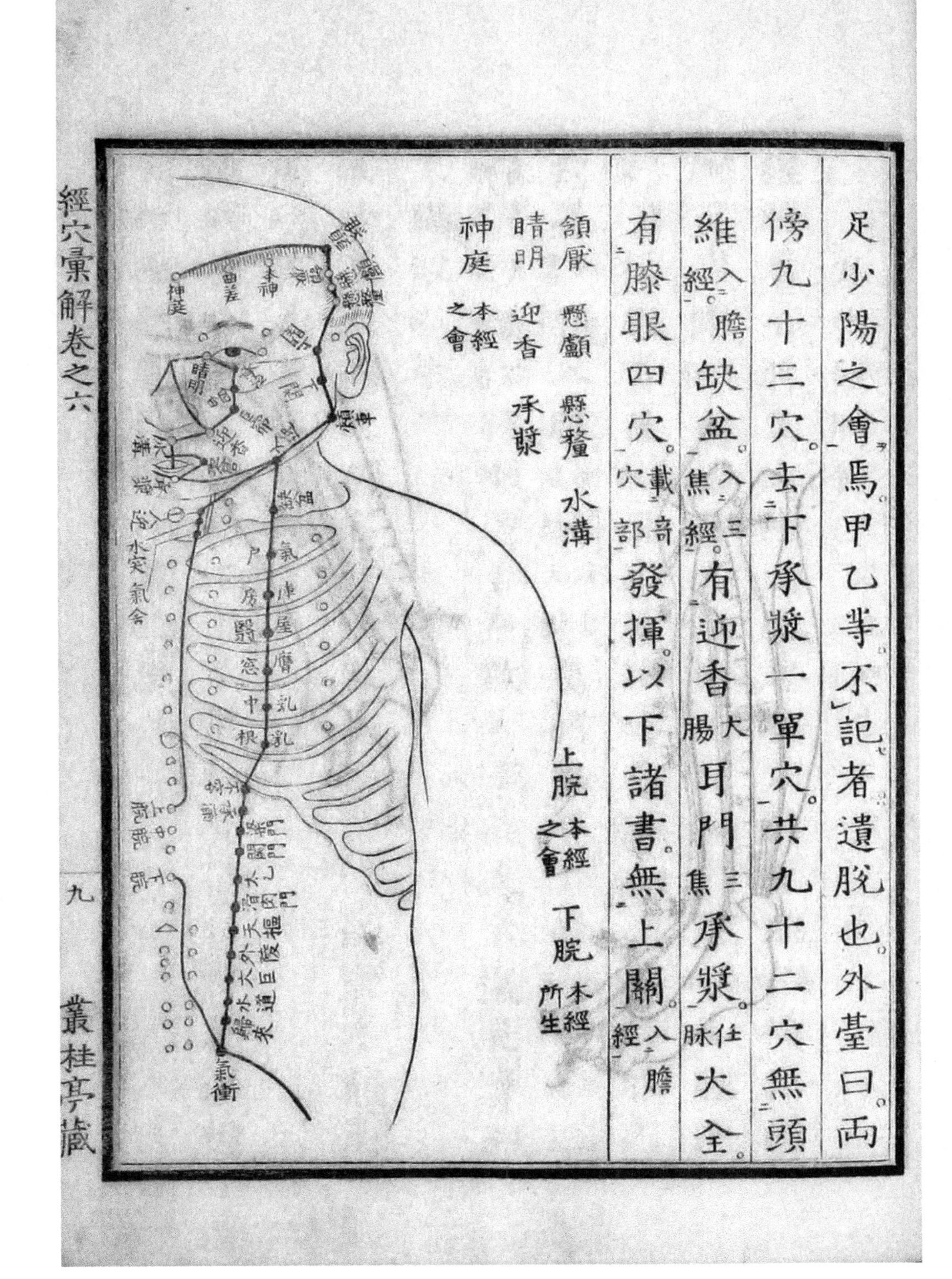

足少陽之會。馬甲乙等不記者遺脱也。外臺曰。両傍九十三穴。去下承漿一單穴。共九十二穴。無頭維（入膽經）。缺盆（入三焦經）。有迎香（入大腸）耳門（入三焦）承漿（任脉）。大全。有膝眼四穴。（載奇穴部）發揮以下諸書無上關（入膽經）

頷厭　懸顱　懸釐　水溝

晴明　迎香　承漿

神庭（本經之會）

上脘（本經之會）　下脘（本經所生）

經穴彙解卷之六

九

叢桂亭藏

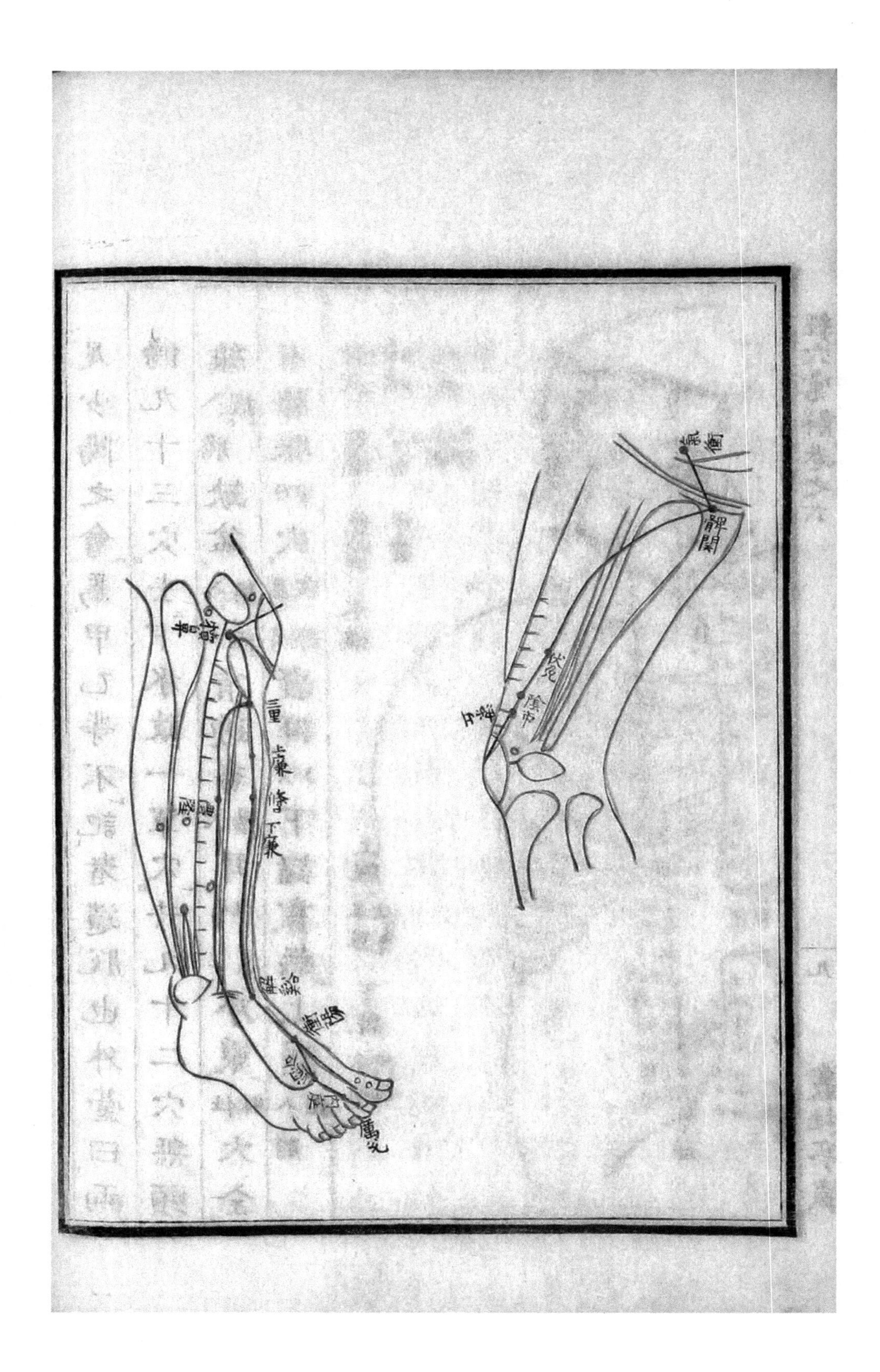

陰市
髀關

足太陰脾經　左右凡四十二穴

經脉篇云。脾。足太陰之脉。起於大指之端。隱白循指内側白肉際。大都過核骨後。太白公孫上内踝。前廉。商丘上腨内。三陰交循脛骨後。漏谷交出厥陰之前。地機陰陵泉上膝股内前廉。血海箕門入腹。衝門府舍腹結大横屬脾絡胃上膈。腹哀日月期門大包食竇天谿胸鄉周榮中府挾咽連舌本散舌下。其支者。復從胃別上膈注心中。

又云。足太陰之別名曰公孫。去本節之後一寸。別走陽明。其支者。入絡腸胃。

經別篇云。足太陰之正。上至髀。合於陽明。與別俱行。上結於咽。貫舌中。此爲三合也。

經筋篇云。足太陰之筋。起於大指之端內側。上結於內踝。其直者。絡於膝內輔骨。上循陰股。結於髀。聚於陰器。上腹結於臍。循腹裏。結於肋。散於胸中。其內者。著於脊。

隱白 足太陰脉之所發。大都 所溜。○寶鑑作流 大白 所注 公孫 別走陽明。商丘 所行 三陰交 足太陰。厥陰。少陰之會。漏谷 絡 地機 郄 陰陵泉 所入 血海 所發 箕門 足太陰內市。太陰脉氣所發。衝門 足太陰厥陰之會○外臺厥陰。作陰維。府舍 足太陰。陰維。厥陰之會。此脉上下入腹。絡胸結心肺。從脅上至肩。此太陰郄。三陰陽明支別。○外臺。無厥陰二字。此脉以下二十六字。○資生。作此三脉上下三入腹。又比。作此。○聚英。作入腹絡肝肺。結心肺。腹結 大橫 太陰。陰維之會 腹哀 同上 食竇 所發○次註曰。手太陰脉氣所發。天谿 所發 胷鄉 同上 周榮 同上 大包

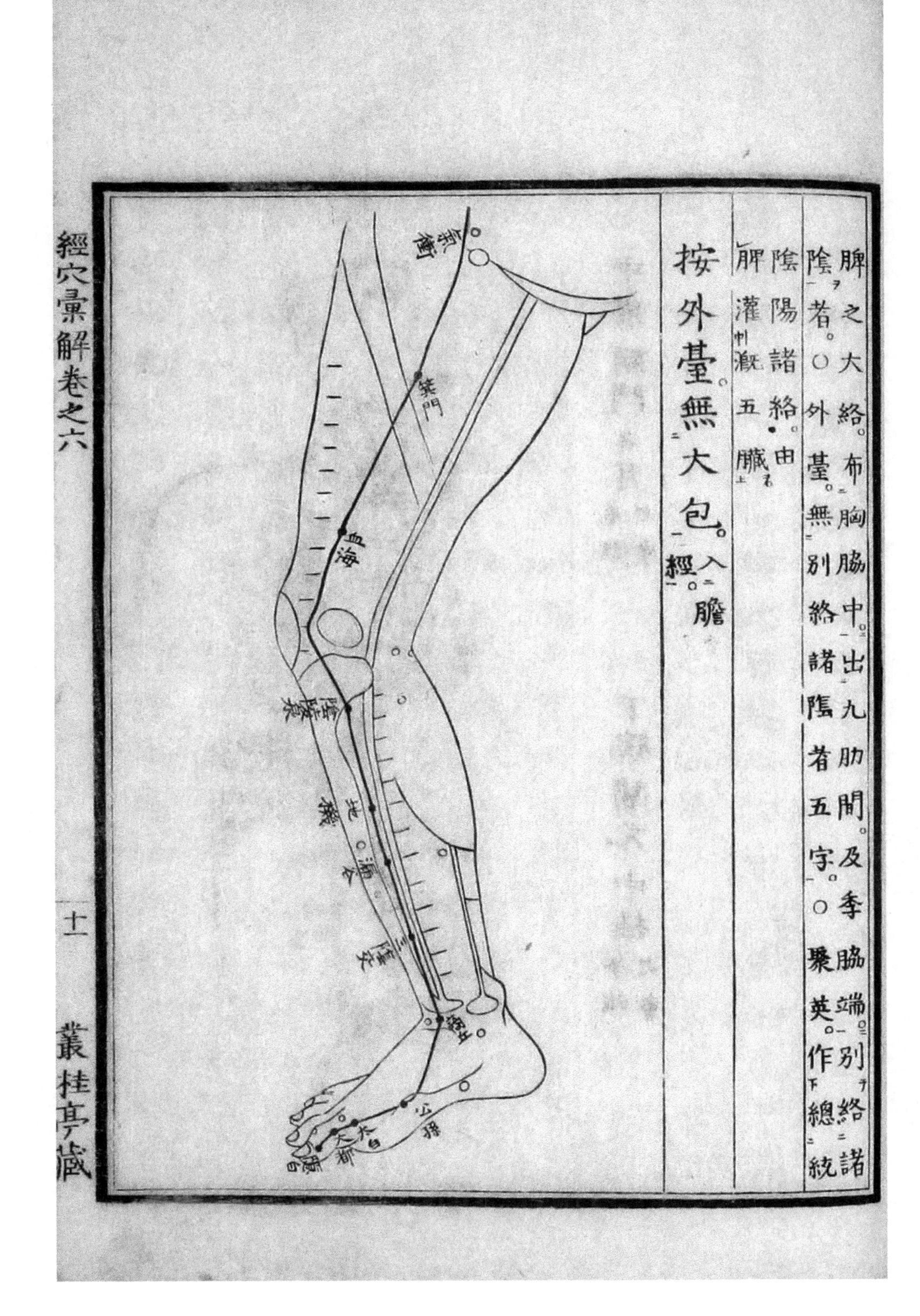
脾之大絡。布胸脇中。出九肋間。及季脇端。別絡諸陰者。○外臺。無別絡諸陰者五字。○聚英。作總統陰陽諸絡。由脾灌漑五臟。

按外臺無大包。入膽經。

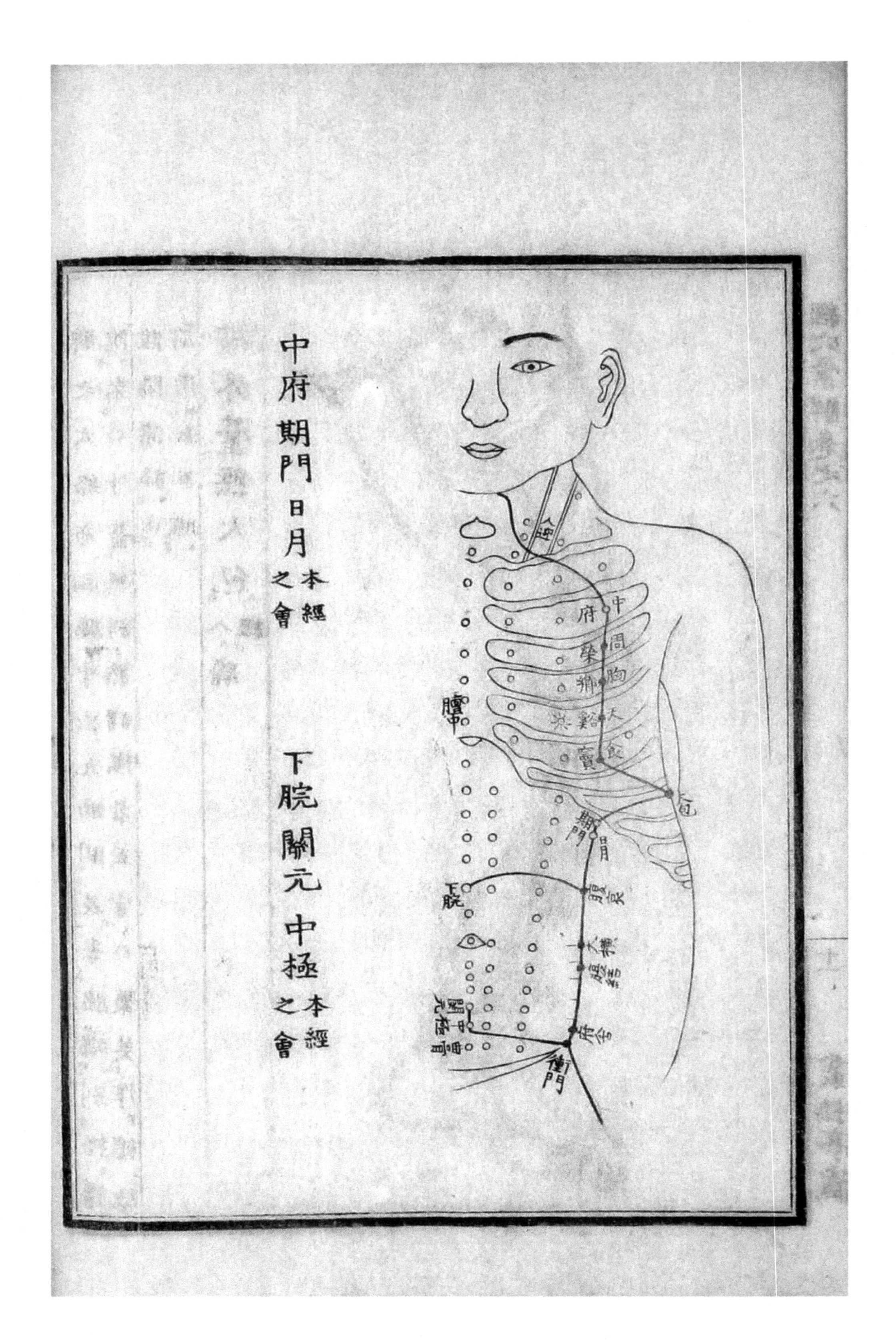
中府期門日月本經之會
下脘關元中極本經之會

手少陰心經　左右凡十八穴

經脉篇云。心手少陰之脉。起於心中。出屬心系。下膈絡小腸。其支者。從心系上挾咽。繫目系。其直者。復從心系。却上肺。下出腋下。（極泉）下循臑内後廉。（青靈）行太陰心主之後。下肘内。（少海）循臂内後廉。抵掌後。鋭骨之端。（靈道。通里。陰郄。神門。）入掌内後廉。（少府）循小指之内。出其端。（少衝）

又云。手少陰之別。名曰通里。去腕壹寸半。別而上行。循經入於心中。繫舌本。屬目系。其實則支膈。虚則不能言。取之掌後壹寸。別走太陽也。

經別篇云。手少陰之正。別入淵腋兩筋之間。屬於心。上走喉嚨。出於面。合目内眥。此爲四合也。

經筋篇云。手少陰之筋。起於小指之内側。結於鋭骨上。結肘内廉。上入腋。交太陰。挾乳裏。結於胸中。循臂下繫於臍。

氣府論云。手少陰各一。（次註。謂手少陰郄穴也。）陰陽蹻各一。（陰蹻一。謂交信穴也。陽蹻一。謂趺陽穴也。）

邪客篇云。黄帝曰。少陰獨無腧者。不病乎。岐伯曰。其外經病而藏不病。故獨取其經於掌後鋭骨之端。其餘脉出入屈折。其行之徐疾。皆如手少陰心主之脉行也。（少陰。銅人作厥陰。）

極泉（手少陰。脉氣所發。以下直者）　青靈　少海（所入）　靈道（甲乙或云手少陰脉之所行也爲經。）　通里（少陰經。別走太陽。）　少陰郄　神門（所注）　少府

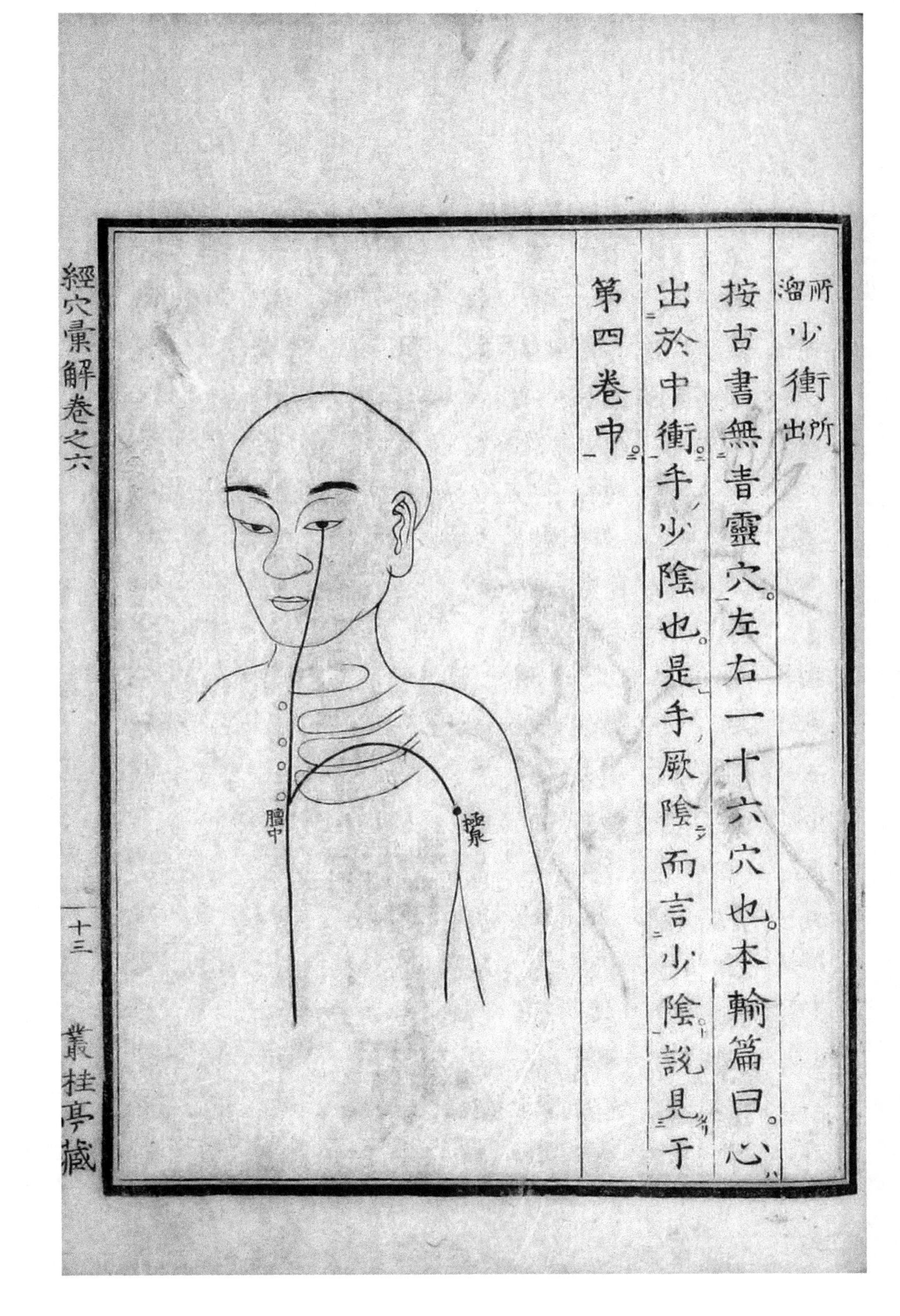

所溜少衝所出

按古書無靑靈穴。左右一十六穴也。本輸篇曰。心出於中衝。手少陰也。是手厥陰。而言少陰。說見于第四卷中。

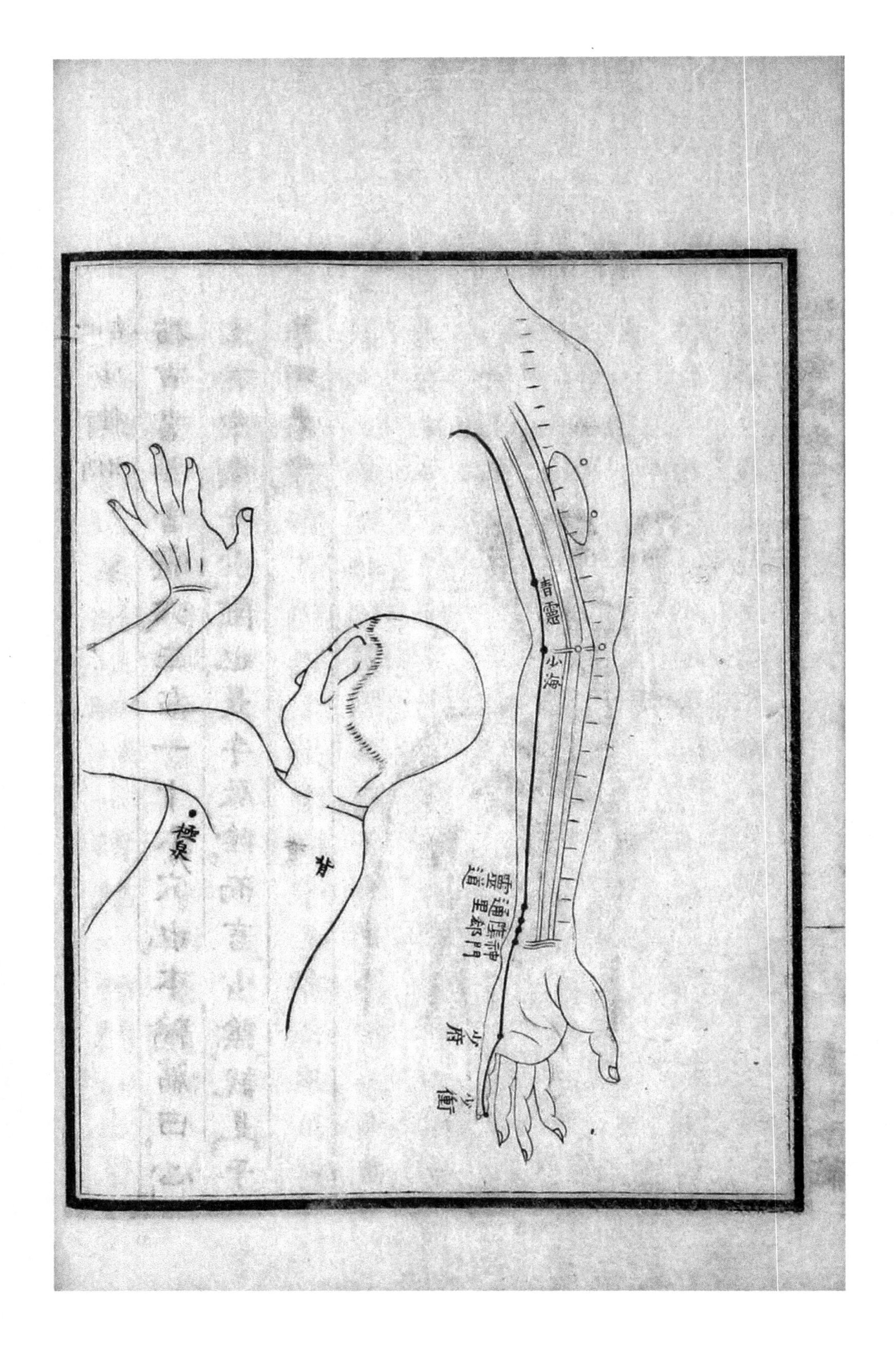
青靈
少海
靈道
通里
陰郄
神門
少府
少衝
極泉
背

手太陽小腸經 左右凡三十六穴

經脉篇云。小腸手太陽之脉。起於小指之端。（少澤）循手外側。（前谷 後谿）上腕。（腕骨 陽谷）出踝中。（養老）直上循臂骨下廉。（支正）出肘內側兩筋之間。（小海）上循臑外後廉。出肩解。（肩貞）繞肩胛。（臑俞。天宗。秉風。曲垣。肩外。肩中。大椎大杼）交肩上。入缺盆。絡心。循咽。下膈。抵胃。屬小腸。其支者。從缺盆循頸。（天窓）上頰。（顴窌）至目。銳眥。（瞳子窌）却（和窌）入耳中。（聽宮）其支者。別頰上䪼。抵鼻。至目內眥。（睛明）斜絡於顴。

又云。手之太陽之別。名曰支正。上腕伍寸。內注少陰。其別者。上走肘。絡肩髃。

氣府論云。手太陽脉氣所發者。三十六穴。目內眥各一。次註謂睛明二穴也。目外各一。謂瞳子髎二穴也。顴骨下各一。謂顴髎二穴也。耳郭上各一。謂角孫二穴也。耳中各一。謂聽宮二穴也。巨骨穴各一。巨骨名也。穴曲掖上骨空各一。謂臑俞二穴也。柱骨上陷者各一。謂肩井二穴也。天窗上四寸各一。謂天窗。竅陰。四穴也。肩解各一。謂秉風二穴也。肩解下三寸各一。謂天宗二穴也。肘以下至手小指本各六俞。謂小海。陽谷。腕骨。後谿。前谷。少澤。六穴也。

經別篇云。手太陽之正指地。別於肩解。入腋走心。繫小腸也。

經筋篇云。手太陽之筋。起於小指之上。結於腕上。循臂內廉。結於肘內銳骨之後。彈之應小指之上。入結於腋下。其支者。後走腋後廉。上繞肩胛。循頸。出走太

陽之前結於耳後完骨其支者入耳中直者出耳上
下結於頷上屬目外眥

少澤 手太陽脉之所出 前谷 所溜 後谿 所注 腕骨 所過 陽谷 所行 養
老 郄 支正 絡別走少陰 小海 所入 肩貞 氣府論云手少陽脉氣所發甲乙次
註作手太陽 臑俞 太陽陽維蹻脉之會○外臺作手足太陽聚英作陽蹻 天宗 所發
秉風 手陽明太陽手足少陽之會 曲垣 肩外俞 肩中俞
天窗 所發 顴髎 手少陽太陽之會 聽宮 手足少陽手太陽之會

按外臺二十六穴無肩貞曲垣肩外肩中顴髎聽
宮六穴共入三焦經而有睛明膀胱發揮有天容膽經諸書
從之非也銅人圖曰天容十四經為手太陽經甲
乙經言手少陽脉氣所發靈樞二篇二條俱為足

少陽五篇曰。足少陽根于竅陰入于天容故知甲乙經手字當是足字誤也。是以予所圖。天容爲膽經求不從後人之誤。此說爲得

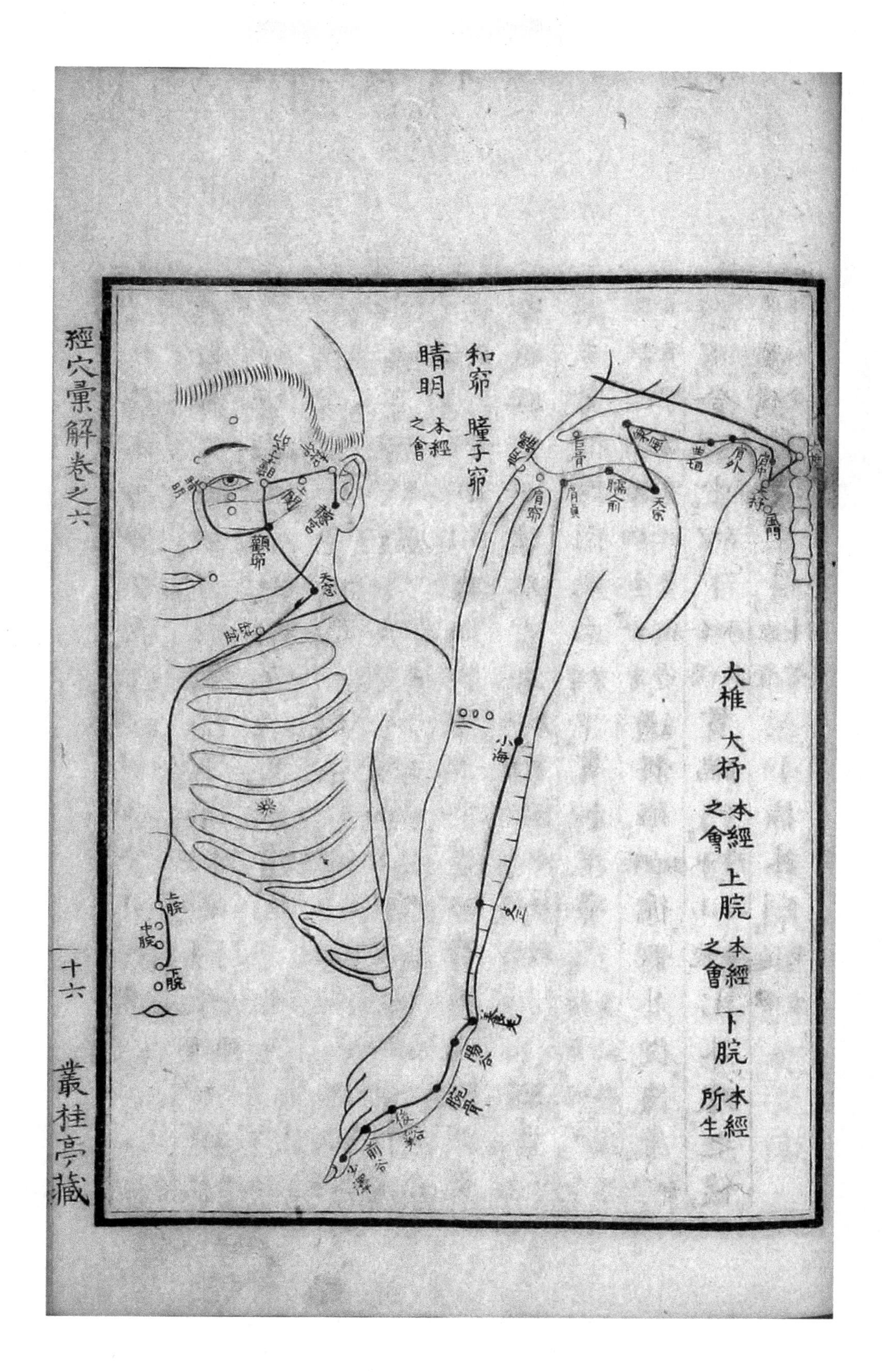

經穴彙解卷之六
十六
叢桂亭藏
和窌　瞳子窌
本經之會
睛明
大椎　大杼
本經之會
上脘
本經之會
下脘
本經所生
小海
陽谷
腕骨
前谷
少澤
天窗
天容
肩貞
臑俞
天宗
秉風
曲垣
肩外
肩中
上脘
中脘
下脘

足太陽膀胱經 左右凡百二十六穴

經脉篇云：膀胱足太陽之脉，起於目内眥，睛明 上額，攢竹 神庭。曲差。五處。承光。通天。交巔。百會 其支者，從巔至耳上角，天衝。率谷。曲鬢 浮白。竅陰。完骨 其直者，從巔入絡腦，還出。絡却 玉枕 別下項，天柱 大椎 陶道 循肩髆内，挾脊，大杼。風門。肺俞。厥陰俞。心俞。膈俞。肝俞。膽俞。脾俞。胃俞。三焦俞。腎俞 大腸俞。小腸俞。膀胱俞。中膂俞。白環 抵腰中，入循膂，絡腎屬膀胱。其支者，從腰中下挾脊，貫臀，上窌。次窌。中窌。下窌。會陽。承扶。殷門。入膕中。委中 其支者，從髆内左右別下，貫胛，挾脊内，附分。魄户。膏肓。神道。譩譆。膈關。魂門。陽綱。意舍。胃倉。肓門。志室。胞肓。秩邊 過髀樞，環跳 循髀外，從後廉，浮郄 委陽 下合膕中，以下 合陽 承筋 貫踹内，承山。飛陽。跗陽 出外踝之後，崑崙。僕參。申脉。金門。循京骨，京骨 束骨 至小指外側，通谷 至陰又云。足太陽之別。名曰飛陽。去踝柒寸。別走少陰。

經別篇云。足太陽之正。別入於膕中。其一道下尻伍寸。別入於肛。屬於膀胱。散之腎。循膂。當心入散。直者。從膂上出於項。復屬於太陽。此為一經也。

氣府論云。足太陽脉氣所發者七十八穴。兩眉頭各一。次註謂攢竹穴也。入髮至項三寸半。傍五。相去三寸。謂大杼風門。各二穴也。○新校正。後人誤認將項為項。其浮氣在皮中者。凡五行。行五。五五二十五。中行則顖會。前項。百會。後項。強間五。督脉氣也。次挾傍兩行則五處。承光。通天。絡却。玉枕。各五。本經氣也。又次傍兩行。則臨泣。目窓。正營。承靈。腦空。各五。足少陽氣也。項中大筋兩傍各一。謂天柱二穴也。風府兩傍各一。謂風池二穴也。挾背以下至尻尾二十一節。十五間各一。今中誥孔穴圖所存者。十二穴。

左右共二十六。謂附分。魄户。神堂。譩譆。膈關。魂門。陽綱。意舍。胃倉。肓門。志室。胞肓。秩邊。十三穴也。五臓之俞各五。六府之俞各六。肺俞。心俞。肝俞。脾俞。腎俞。膽俞。大腸俞。胃俞。三焦俞。小腸俞。膀胱俞。委中以下。至足小指傍各六俞。謂委中。崑崙。京骨。束骨。通谷。至陰。六穴也。

經筋篇云。足太陽之筋。起於足小指。上結於踝。邪上結於膝。其下循足外踝。結於踵。上循跟。結於膕。其別者。結於踹外。上膕中内廉。與膕中幷。上結於臀。上挾脊。上項。其支者。別入結於舌本。其直者。結於枕骨。上頭。下顔。結於鼻。其支者。為目上綱。下結於頄。其支者。從腋後外廉。結於肩髃。其支者。入腋下。上出缺盆。上結於完骨。其支者。出缺盆。邪上出於頄。

睛明 手足太陽。足陽明之會○外臺作手足太陽陽明。次註。加陰蹻陽蹻。五脉之會 攢竹 足太陽脉氣所發。 曲差 五處 承光 通天 絡却

玉枕 天柱 以上七穴。與攢竹同。 大杼 手足太陽之會○次註曰。督脉別絡。手足太陽三脉之會。外臺作足太陽手少陽之會。聚英作手足太陽少陽之會。 風門 督脉。足太陽之會

肺俞 五藏之俞。○次註曰。並足太陽脉之會。 厥陰俞 心俞 膈俞

肝俞 膽俞 所發 脾俞 胃俞 三焦俞 所發 腎俞

大腸俞 小腸俞 膀胱俞 中膂俞 白環俞 所發 上髎 足太陽少陽之絡。 次髎 中髎 次註曰。足厥陰支別者與太陰少陽結於腰髁下。挾脊第三第四骨空中。其穴卽中髎。下髎。○發揮曰。足少陰少陽。所結之會也。聚英。少陰作厥陰。 下髎 次註曰。足太陰之絡。從髀合陽明上貫尻骨中。與厥陰少陽。結於下髎。新校正曰。詳王註曰。足太陰之絡。按甲乙經。乃太陰之正。非絡也。王氏謂之絡者。未詳其旨。 會

陽督脉氣所發。承扶　殷門　浮郄　委陽太陽之別絡　委中所入附分太陽之會○外臺作手足太陽之會。魄户外臺以下除膏肓之十三穴皆太陽脉氣所發膏肓　神堂　譩譆　膈關　魂門　陽綱　意舍　胃倉　肓門　志室　胞肓　秩邊　合陽　承筋所發　承山　飛揚別走少陰　跗陽陽蹻之郄　崑崙所行　僕參同上○聚英曰陽蹻之本　申脉陽蹻所生○聚英曰陽蹻所出　金門太陽郄。陽維所別屬也　京骨所過　束骨所注　通谷所溜○聚英所流　至陰所出

按氣府論曰。手太陽脉氣所發者。三十六穴。目内眥各一。次註曰。謂睛明二穴也。千金無跗陽入外臺曰。兩傍一百二十恐脱二字穴。註曰。並二十二單穴

及膏肓附穴共一百四十四穴程衍道曰按本經原六十三穴此少二穴睛明入小腸厥陰俞缺只六十一穴左右共一百二十二穴又加督脉二十二穴共一百四十四穴督脉本二十七穴今少五穴齗交兌端水溝三穴入大腸靈臺入□□陽關入膽經故只二十二穴也今按外臺不載靈臺穴程註爲入□□者闕訂也入門有眉衝氣海俞關元俞今入奇穴部

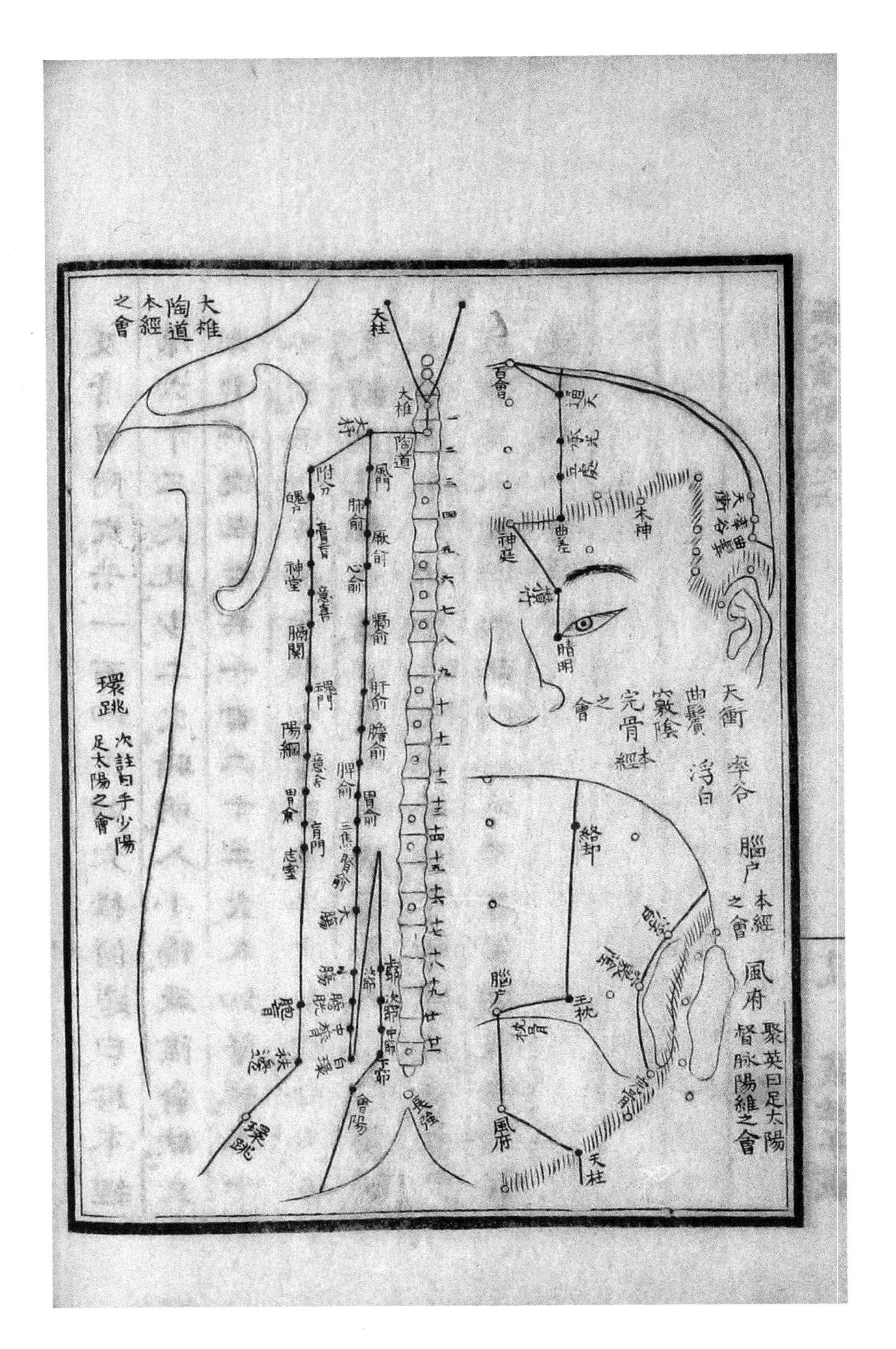
大椎
陶道
本經之會
天柱
大椎
大杼
陶道
風門
肺俞
厥俞
心俞
膈俞
肝俞
膽俞
脾俞
胃俞
腎俞
附分
魄户
膏肓
神堂
譩譆
膈關
魂門
陽綱
意舍
胃倉
肓門
志室
胞肓
秩邊
環跳
會陽
環跳
次註曰手少陽足太陽之會
百會
神庭
曲差
本神
攢竹
睛明
天衝
率谷
曲鬢
竅陰
浮白
完骨
本經之會
絡卻
玉枕
腦户
風府
天柱
腦户
本經之會
風府
聚英曰足太陽督脉陽維之會

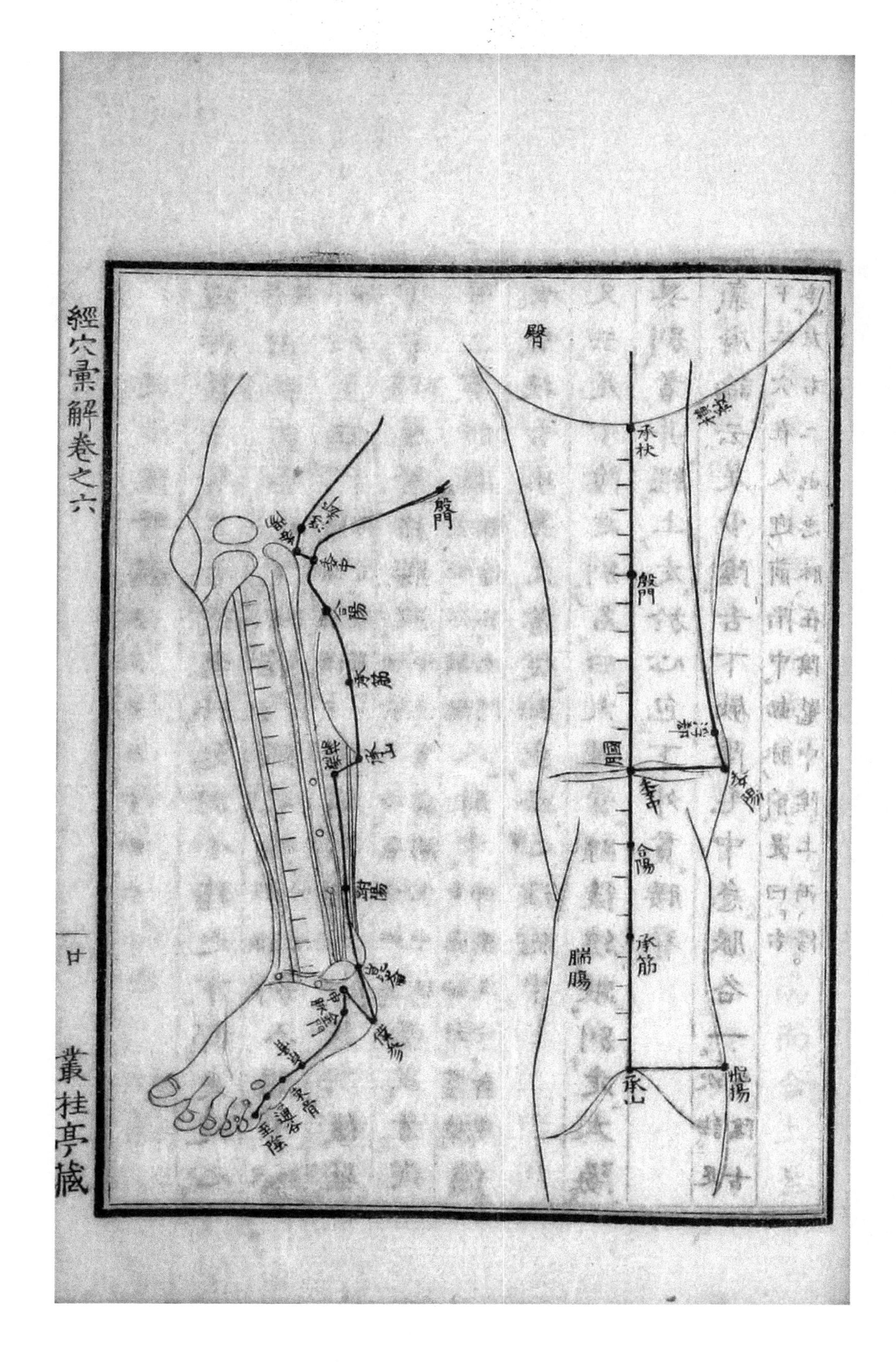
經穴彙解卷之六
廿
叢桂亭藏
臀
承扶
殷門
浮郄
委陽
委中
合陽
承筋
腨腸
承山
飛揚
殷門
委中
合陽
承筋
承山
飛揚
僕參
申脈
金門
京骨
束骨
通谷
至陰

足少陰腎經　左右凡五十四穴

經脉篇云。腎足少陰之脉。起於小指之下。邪走足心。湧泉出於然谷之下。然谷循內踝之後。照海水泉別入跟中。大谿太鍾以上踹內。復溜。交信。三陰交。築賓。出膕內廉。陰谷上股內後廉。貫脊長強屬腎絡膀胱。橫骨。大赫。氣穴。四滿。中注。肓兪。關元。中極。其直者從腎上貫肝膈。商曲。石關。陰都。通谷。幽門。入肺中。步廊。神封。靈墟。神藏。彧中。兪府。循喉嚨。挾舌本。其支者。從肺出絡心。注胸中。

又云。足少陰之別。名曰大鍾。當踝後繞跟。別走太陽。其別者。并經上走於心包。下外貫腰脊。

氣府論云。足少陰舌下。厥陰毛中。急脈。各一。次註。足少陰舌下二穴。在人迎前陷中。動脈前。是曰舌本。左右二也。急脉。在陰髦中陰上兩傍。

經別篇云。足少陰之正至膕中。別走太陽而合上至腎當十四傾出屬帶脈。直者繫舌本。復出於項合於太陽。

經筋篇云。足少陰之筋起於小指之下。並足太陰之筋。邪走內踝之下。結於踵。與太陽之筋合而上結於內輔之下。並太陰之筋而上循陰股。結於陰器。循脊內挾膂上至項。結於枕骨。與足太陽之筋合。

湧泉（足少陰脈之所出。）然谷（所溜○外臺作留。○聚英曰。別於太陰。蹻脈之郄。足少陰脈氣所流。）大谿（所注）大鍾（別走太陽。足少陰絡。）照海（陰蹻脈所生。）水泉（郄）

復溜（所行）交信（陰蹻之郄）築賓（陰維之郄）陰谷（所入）橫骨　大赫

氣穴　四滿　中注　肓俞　商曲　石關

陰都　通谷　幽門自横骨以下至此十一穴衝脉足少陰之會。步廊　神封　靈墟　神藏　彧中　俞府自步廊以下六穴。共足少陰脉氣所發。

按骨空論云。衝脉者。起於氣街。並少陰之經。挾臍上行至胸中而散。甲乙經。自横骨至幽門十一穴皆云衝脉之會者。原于此。俞穴折衷。有廉泉。

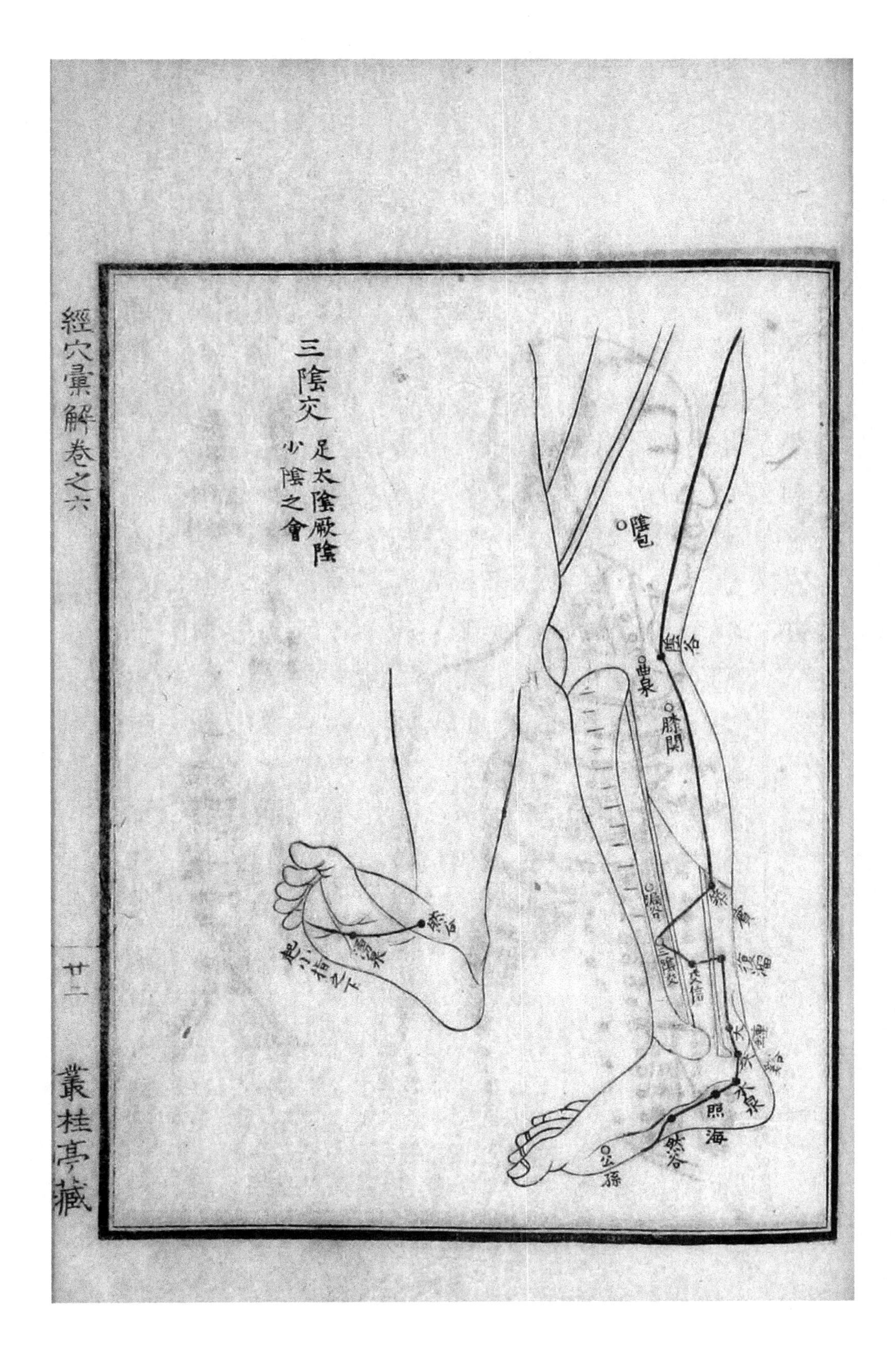

經穴彙解卷之六
三陰交
足太陰厥陰少陰之會
陰包
曲泉
膝關
漏谷
三陰交
交信
復溜
照海
然谷
公孫
湧泉
起小指之下
廿二
叢桂亭藏

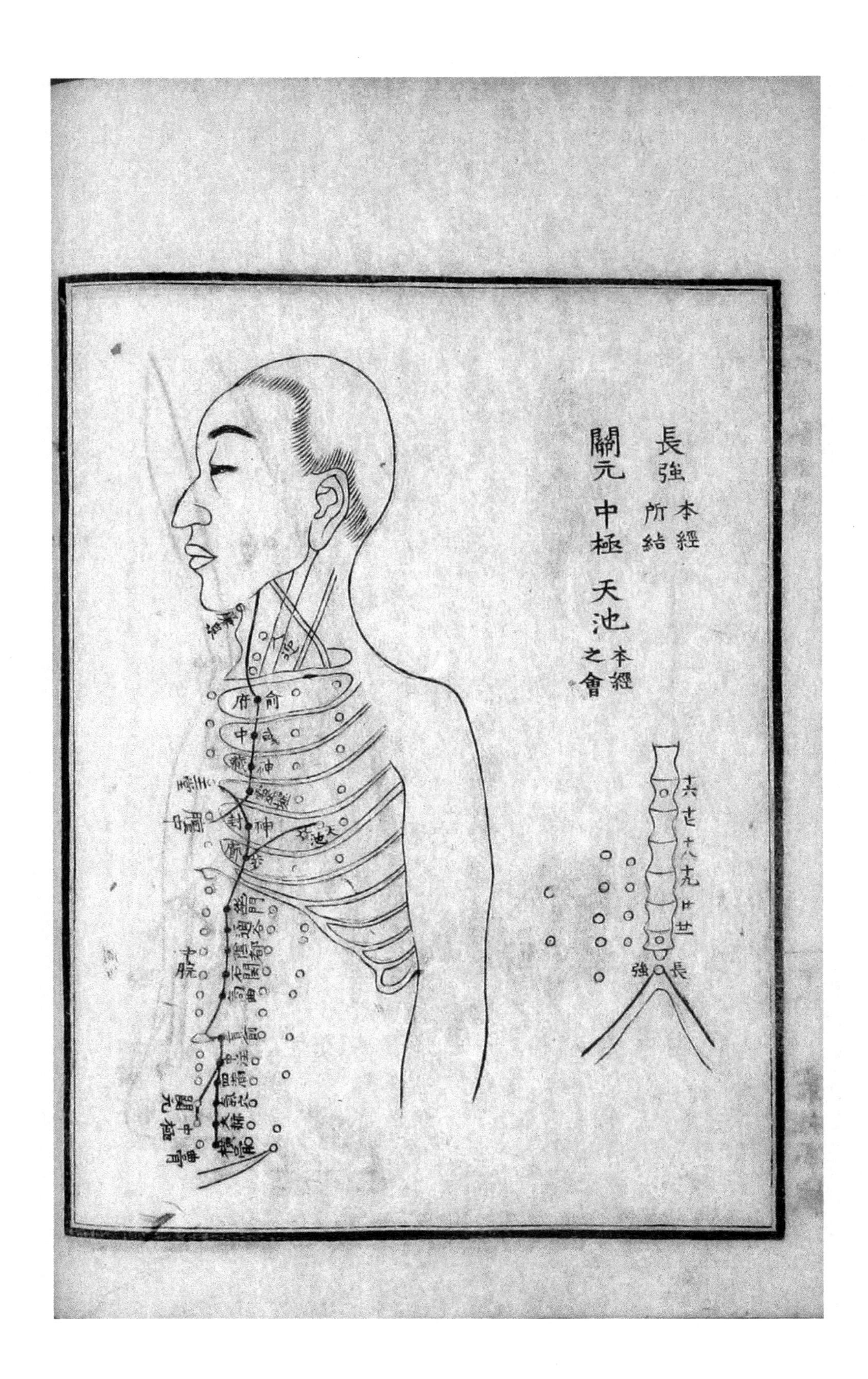
長強 本經所結
關元 中極 天池 本經之會
強 長

手厥陰心包經　左右九十八穴

經脉篇云。心主手厥陰心包絡之脉起於胸中出屬心包絡下膈歷絡三膲。其支者循胷出脇下腋三寸。天池上抵腋下循臑内天泉行太陰少陰之間入肘中曲澤下臂行兩筋之間郄門。間使。内關。大陵。入掌中勞宮循中指出其端。中衝其支者別掌中循小指次指出其端。

又云。手心主之別名曰内關。去腕貳寸出於兩筋之間循經以上繫於心包絡心系。

經別篇云。手心主之正別下淵腋參寸。入胸中別屬三焦出循喉嚨出耳後合少陽完骨之下。

經筋篇云。手心主之筋起於中指與太陰之筋並行結於肘内廉。上臂陰。結腋下。下散前後挾脇。其支者入腋。散胸中。結於臂。

邪客篇云。心主之脉。出於中指之端。内屈。循中指内廉。以上留於掌中。伏行兩骨之間。外屈出兩筋之間骨肉之際。其氣滑利。上貳寸。外屈出行兩筋之間。上至肘内廉。入於小筋之下。留兩骨之會。上入於胷中。内絡於心脉。

天池 手厥陰。足少陰之會。○聚英曰。手足厥陰。少陰之會。 天泉 曲澤 心主脉之所入 郄門 郄 間使 所行 内關 絡。別走少陽。○千金。作太陽。 大陵 所注 勞宮 所溜 中衝 所出

按外臺。兩傍一十六穴。無天池。入膽

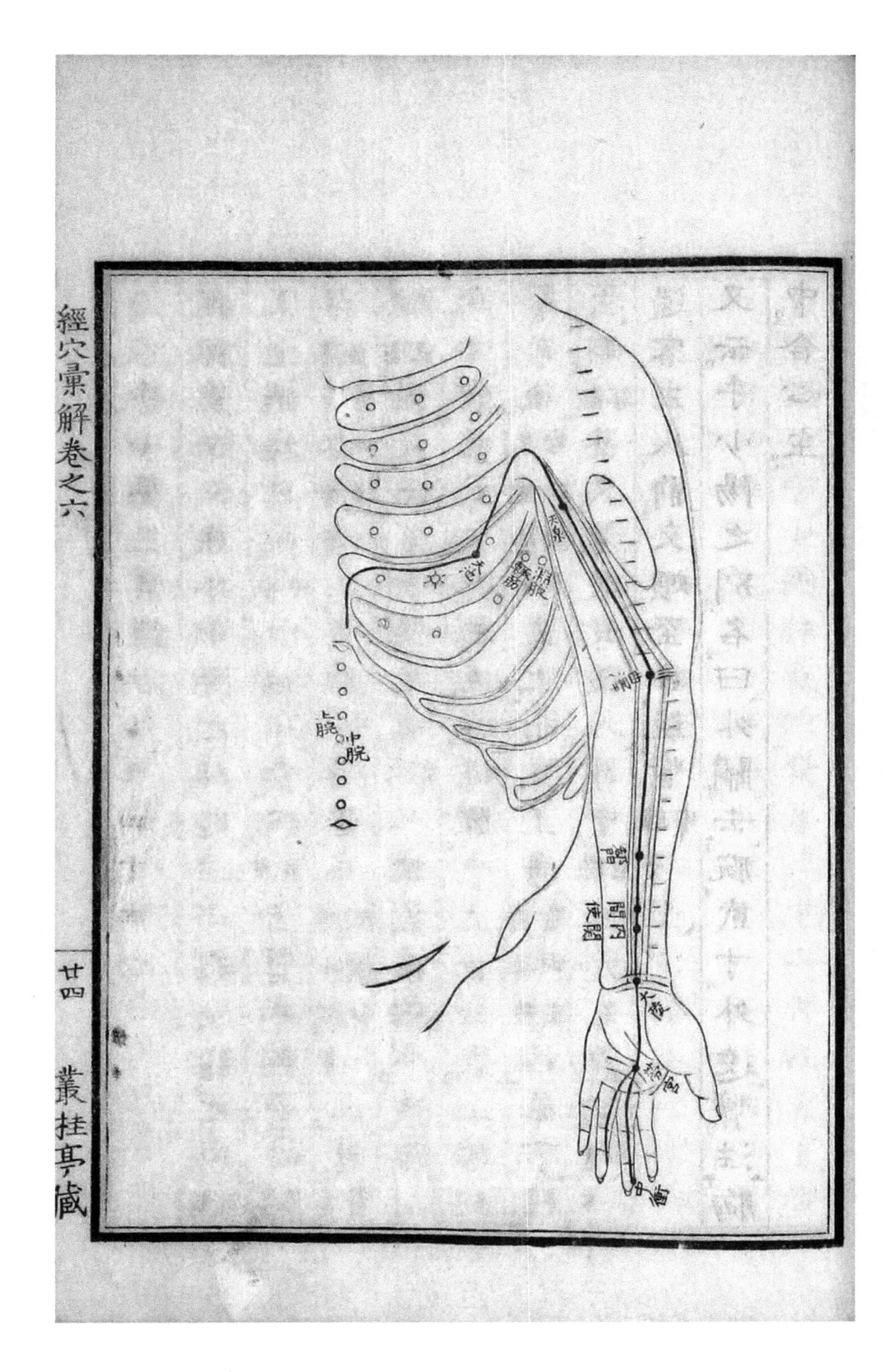
經穴彙解卷之六
廿四
叢桂亭藏
天泉
天池
郄門
間使
中衝

手少陽三焦經　左右凡四十四穴

經脉篇云。三焦。手少陽之脉。起於小指次指之端。關衝上出兩指之間。液門。中渚。循手表腕。陽池出臂外兩骨之間。外關。支溝。會宗。三陽絡。四瀆。上貫肘。天井循臑外。清冷淵。消濼。臑會。上肩。肩窌。肩貞。秉風。而交出足少陽之後。天窌入缺盆。布膻中。散絡心包。下膈。循屬三焦。其支者。從膻中上出缺盆。上項。肩井繫耳後。天牖。翳風。瘈脉。顱息。直上出耳上角。角孫。懸釐。頷厭。以屈下頰。至䪼。顴窌其支者。從耳後入耳中。聽宮出走耳前。聽會。耳門。和窌。過客主人前。交頰。至目銳眥。瞳子窌

又云。手少陽之別。名曰外關。去腕貳寸。外遶臂注胸中。合心主。

氣府論云。手少陽脉氣所發者三十二穴。鼽骨下各一。次註。謂顴髎二穴也。眉後各一。謂絲竹空二穴也。角上各一。謂懸釐二穴也。下完骨後各一。謂天牖二穴也。項中足太陽之前各一。謂風池二穴也。挾扶突各一。謂天窓二穴也。肩貞各一。肩貞穴名也。肩貞下三寸分間各一。謂肩髎。臑會。消濼。各二穴也。肘以下至手小指次指本各六俞。謂天井。支溝。陽池。中渚。液門。關衝。六穴也。

經別篇云。手少陽之正。指天別於巔。入缺盆。下走三焦。散於胷中也。

經筋篇云。手少陽之筋。起於小指次指之端。結於腕上。循臂結於肘。上繞臑外廉。上肩走頸。合手太陽。其支者。當曲頰入繫舌本。其支者。上曲牙。循耳前。屬目外背。上乘頷。結於角。

本輸篇云。三焦下腧在於足大指甲乙作大陽之前。少陽之後。出於膕中外廉。名曰委陽。是太陽絡也。手少陽經也。

又云。手少陽出耳後。上加完骨之上。

衛氣篇云。手少陽之本在小指次指之間上貳寸。標在耳後上角下外眥也。

關衝手少陽脉之所出 液門所溜 中渚所注 陽池所過 外關絡別走心 主 支溝所行 會宗郄 三陽絡 四瀆 天井所入 清冷淵 消濼 肩髎所發 天髎手少陽。陽維之會○千金。手作足。次註。作手足 少陽。陽維三脉之會。天牖所發 翳風手足少陽之會。瘈脉 顱息足少陽。脉

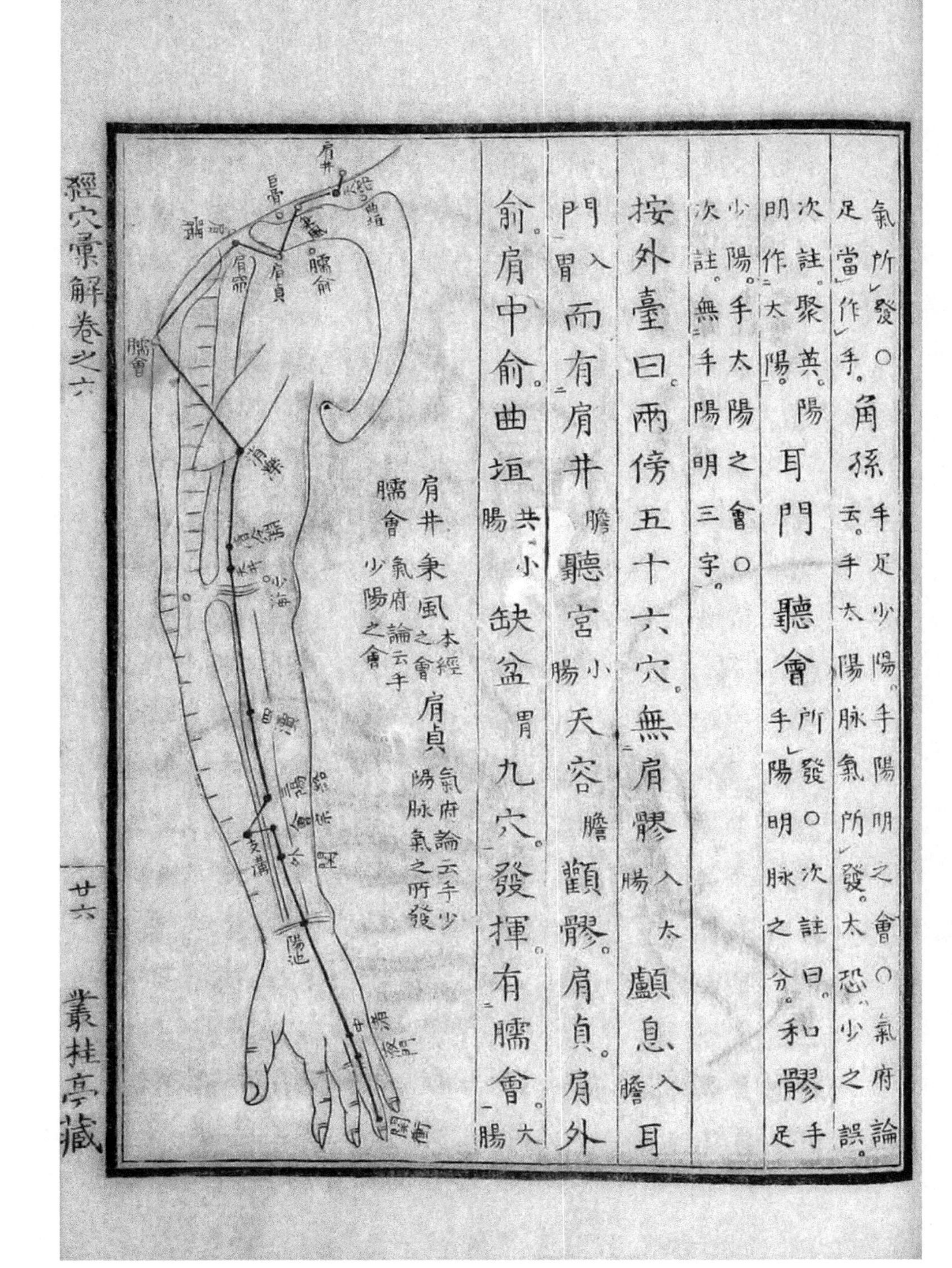

經穴彙解卷之六

氣所發○足當作手。角孫手足少陽手陽明之會○氣府論云。手太陽脈氣所發。太恐少之誤。次註。聚萁。陽明作太陽。耳門聽會所發○次註曰。手手陽明脈之分。和髎手足少陽。手太陽之會○次註。無手陽明三字。

按外臺曰。兩傍五十六穴。無肩髎入太陽顱息入膽耳門入胃而有肩井膽聽宮小腸天容膽顴髎。肩貞。肩外俞。肩中俞。曲垣小腸共缺盆胃九穴。發揮有臑會大腸

肩井秉風本經之會肩貞氣府論云手少陽脈氣之所發臑會氣府論云手少陽之會

廿六

叢桂亭藏

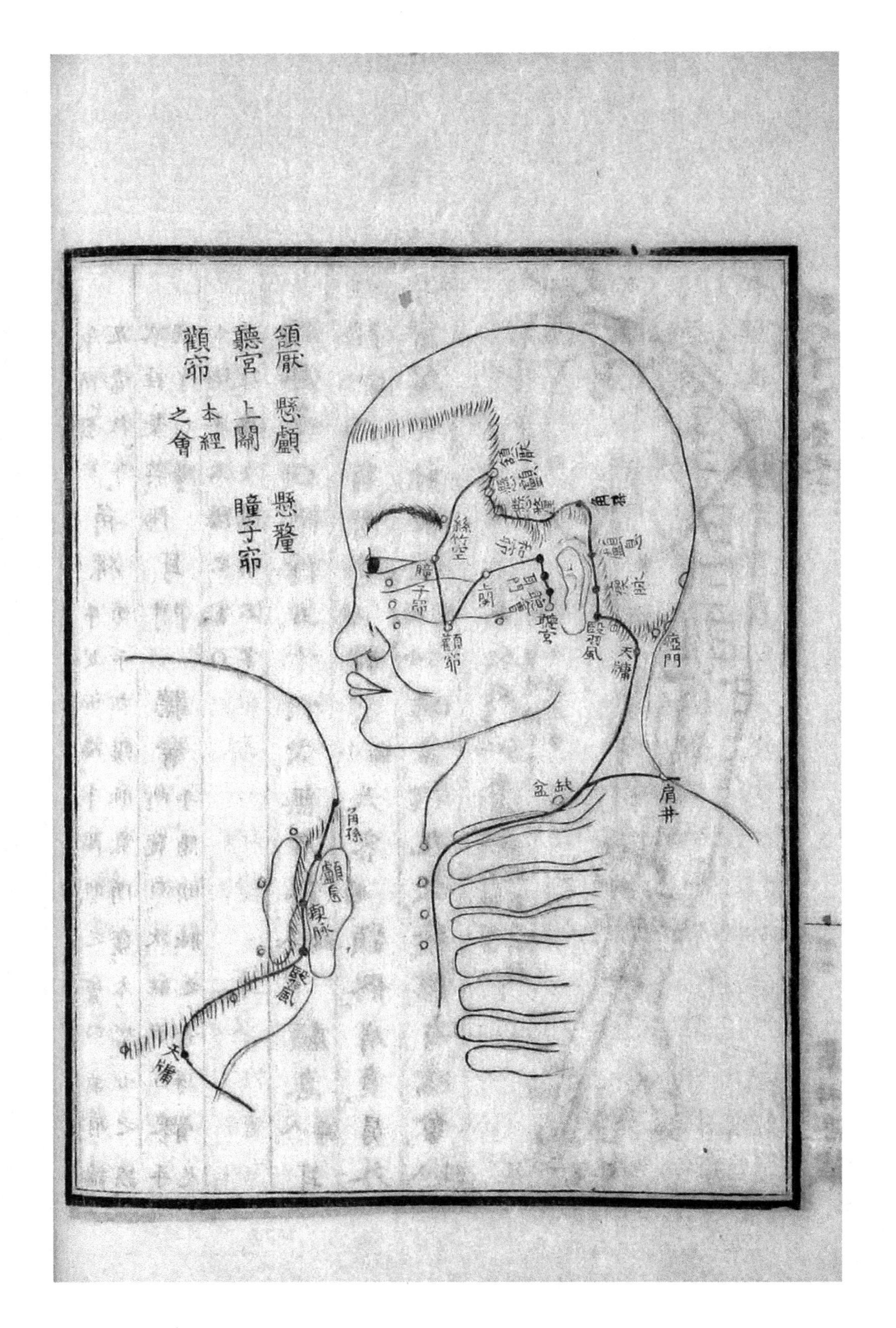

頷厭　懸顱　懸釐
聽宮　上關　瞳子髎
顴髎　本經之會
絲竹空
瞳子髎
顴髎
聽宮
天牖
缺盆
肩井

足少陽膽經 左右凡八十六穴

經脉篇云膽足少陽之脉起於目銳眥瞳子窌上絲竹空抵頭角頭維。頷厭。懸顱。懸釐。曲鬢。率谷。天衝。下耳後浮白。竅陰。完骨。角孫。本神。陽白。臨泣。目窗。正營。承靈。腦空。風池。循頸行手少陽之前至肩上肩井却交出手少陽之後入缺盆大椎。大杼。大窌。秉風。缺盆。其支者從耳後入耳中出走耳前至目銳眥後其支者別銳眥下大迎大迎合於手少陽抵於䪼下加頰車頰車下頸天容合缺盆以下胸中貫膈日月絡肝屬膽循脇裏章門出氣街氣衝繞毛際橫入髀厭中環跳其直者從缺盆下腋淵腋。輒筋循胸過季脇京門。帶脉。五樞。維道。居窌。下合髀厭中以下循髀陽中瀆。陽關出膝外廉陽陵泉下外輔骨之前陽交。外丘。光明。直下抵絕骨之端。陽輔懸鍾下出外踝之前。丘墟循足跗上。臨泣。地五會。入小指次指之間。俠谿竅陰其支者別跗上。入大指之間。循大指岐骨內。出其端。還貫爪甲出三毛。

又云。足少陽之別。名曰光明。去踝伍寸。別走厥陰。下絡足跗。

氣府論云。足少陽脉氣所發者。六十二穴。兩角上各二。次註。謂天衝左右各二穴也。直目上髮際內。各五。謂臨泣目窗正營承靈腦空。左右是也。耳前角上各一。謂頷厭二穴也。耳前角下各一。謂懸釐二穴也。銳髮下各一。謂和髎二穴也。客主人各一。客主人穴名也。耳後陷中各一。謂翳風二穴也。下關各一。下關穴名也。耳下牙車之後。各一。謂頰車二穴也。缺盆各一。缺盆穴名也。腋下三寸。脇下至胠八間各一。腋下。謂淵腋。輒筋。天池。脇下至胠。則日月。章門。帶脉。五樞。維道。居髎。九穴也。左右共十八穴也。髀樞中傍各一。謂環跳。二穴也。膝以下至足小指次指各六俞。謂陽陵泉。陽輔。丘墟。臨泣。俠谿。竅陰。六穴也。

經別篇云。足少陽之正。繞髀入毛際。合於厥陰。別者入季脇之間。循胸裏。屬膽。散之上肝。貫心以上挾咽。出頤頷中。散於面。繫目系。合少陽於外眥也。

經筋篇云。足少陽之筋。起於小指次指。上結外踝。上循脛外廉。結於膝外廉。其支者。別起外輔骨。上走髀。前者結於伏兔之上。後者結於尻。其直者。上乘䏚季脇。上走腋前廉。繫於膺乳。結於缺盆。直者。上出腋。貫缺盆。出太陽之前。循耳後。上額角。交巔上。下走頷。上結於頄。支者結於目眥。爲外維。

熱論云。少陽主膽。其脈循脇絡於耳。又云。少陽病衰。

耳聾微聞。

瞳子髎手太陽。手足少陽之會。絲竹空足少陽脈氣所發。頷厭手少陽。足陽明之會○外臺曰。足少陽。陽明會。懸顱所發○聚英曰。手足少陽。陽明會。懸釐手足少陽。陽明之會。曲鬢足太陽。少陽之會。率谷同上天容手少陽脈氣所發。手當作足。說見手太陽條下。天衝足太陽。少陽之會。浮白同上竅陰同上○外臺曰。手足太陽。少陽之會。聚英。作足太陽。手足少陽。完骨同上本神足少陽。陽維之會。○聚英曰。陽維脈所止。陽白同上○次註曰。足陽明。陰維二脈之會。新校正曰。按甲乙經陽白。足少陽陽維之會。今王氏註云。足陽明陰維之會。詳此在足陽明脈氣所發中。則足陽明近是。然陽明經不到此。又不與陰維會。疑王註非。發揮曰。手足太陽少陽足陽明。五脈之會。聚英曰。手足陽明少陽陽維五脉之會。臨泣足太陽。少陽。陽維之會。○外臺。無陽維。目窓足少陽。陽維之會。正營同上承靈同上腦空同上風池同上○氣府論云。足少陽。脉氣之所發。肩井手少陽。陽維之會。○手外臺。作手足。環跳所發○次注曰。足少陽。太陽之會。淵腋次註曰。足少陽脉氣之所發輒筋所發○聚英曰。足太陽。少陽之會。日月足太陰少陽之會。○類經曰。太陰少陽。陽維之會。京門腎募也。帶脉次註曰。足少陽帶脈二經之會。五樞次註曰。足少陽帶脉二經之會維道足少陽帶脉之會。居髎陽蹻足少陽之會。中瀆所發○聚英曰。絡別走厥陰。陽關陽陵泉所入陽交陽維之郄。外丘郄。所生。光明絡別走厥陰。陽輔所行懸鍾足三陽絡○外臺曰。大絡。丘墟所過臨泣所注地五會俠谿所溜竅陰所出

按外臺曰。両傍一百四穴。無肩井入三焦經日月入脾經而有頭維胃經顱息三焦經大包脾經天池心包經章門肝經

後腋。轉穀。飲郄。膺突。胸堂。旁庭。始素。(此七穴今入奇穴部)千金丘墟下有跗陽。(膀胱經)資生神應入門大全寶鑑有風市。(今入奇穴部)聚英闕日月。發揮聚英無絲竹空。(入三焦經)天容。(入小腸經)而有聽會。(三焦經)寶鑑有角孫也。(重復)按膽經流注據經脈篇則其經穴有所不經歷者。岡本氏實如所辨。但絲竹空天容二穴。(說見下小腸經。)甲乙云足少陽脈氣所發。外臺既屬此經。聽會一穴。甲乙云手少陽脈氣所發。外臺亦屬之三焦經。不言其會。發揮以曲差睛明為會者。諸書所不說也。又頰車大迎氣衝。三穴經脈篇明言其會。甲乙以下不記者。蓋遺脫也。

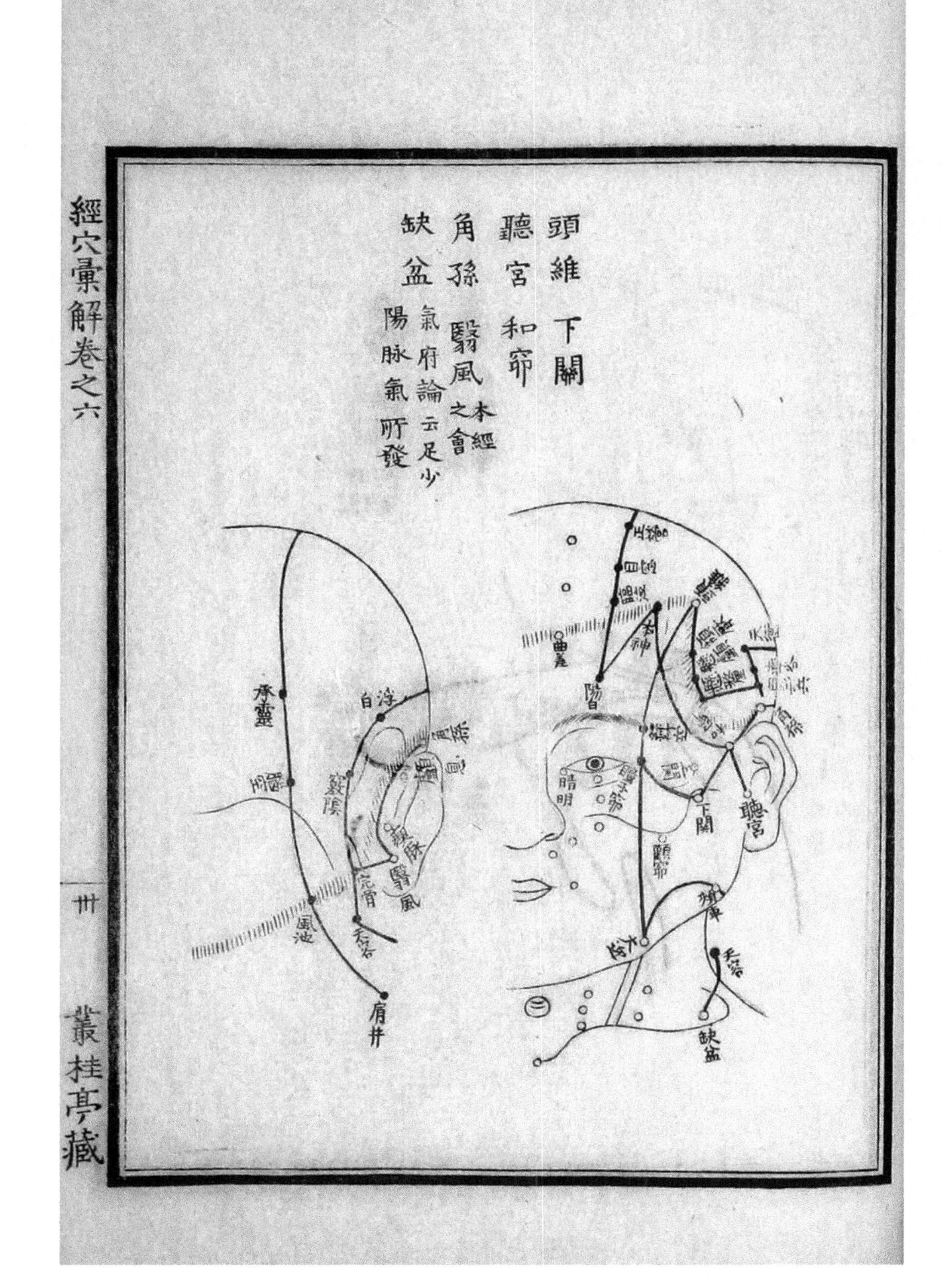
經穴彙解卷之六
卅
叢桂亭藏
頭維　下關
聽宮　和窌
角孫　翳風本經之會
缺盆　氣府論云足少陽脈氣所發
承靈
浮白
風池
肩井
翳風
完骨
曲差
本神
睛明
下關
聽宮
頰車
缺盆

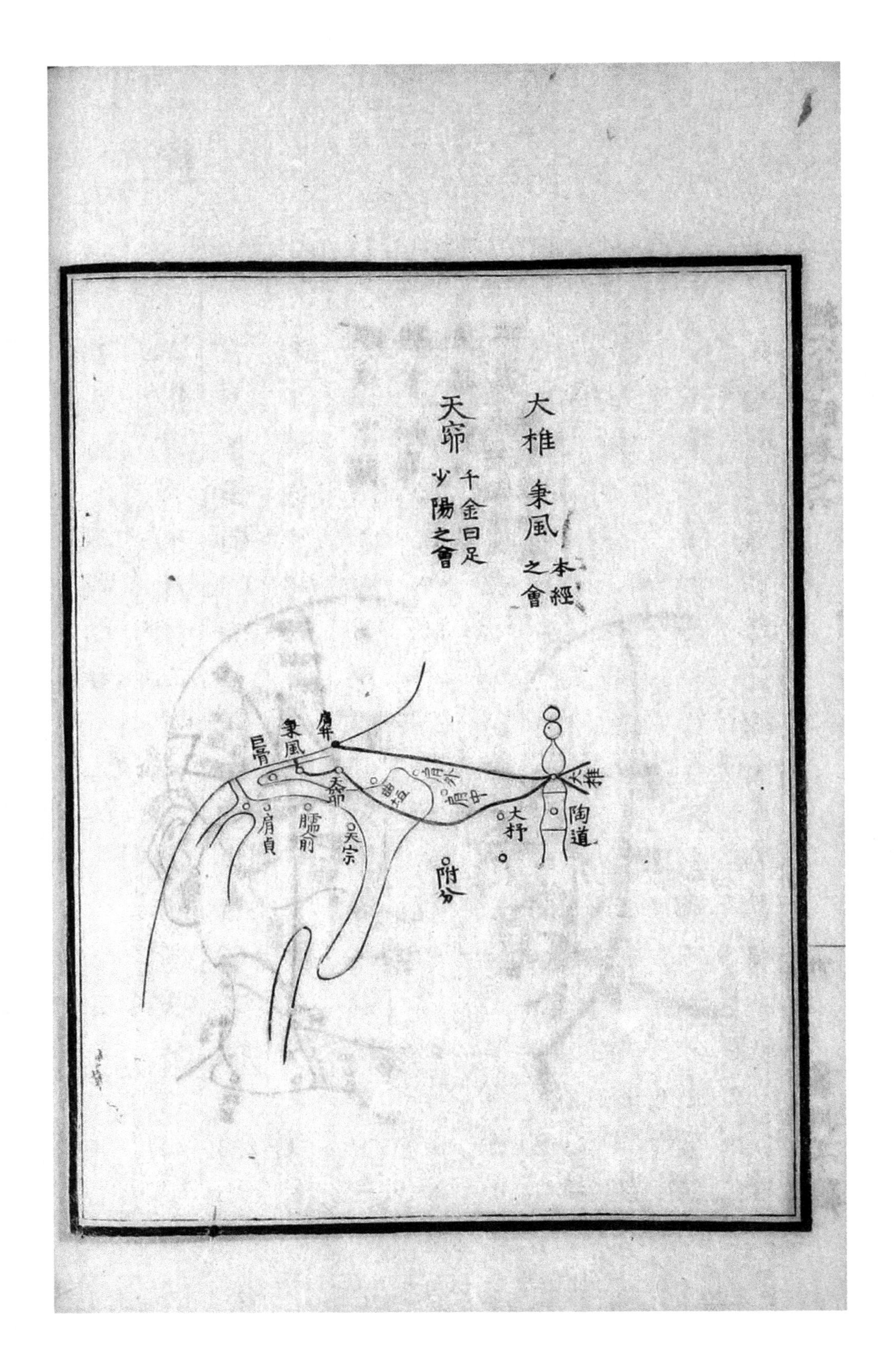
大椎 秉風 本經之會
天窌 千金曰足少陽之會
肩井
秉風
天窌
曲垣
肩外
肩中
大椎
陶道
大杼
肩貞
臑俞
天宗
附分

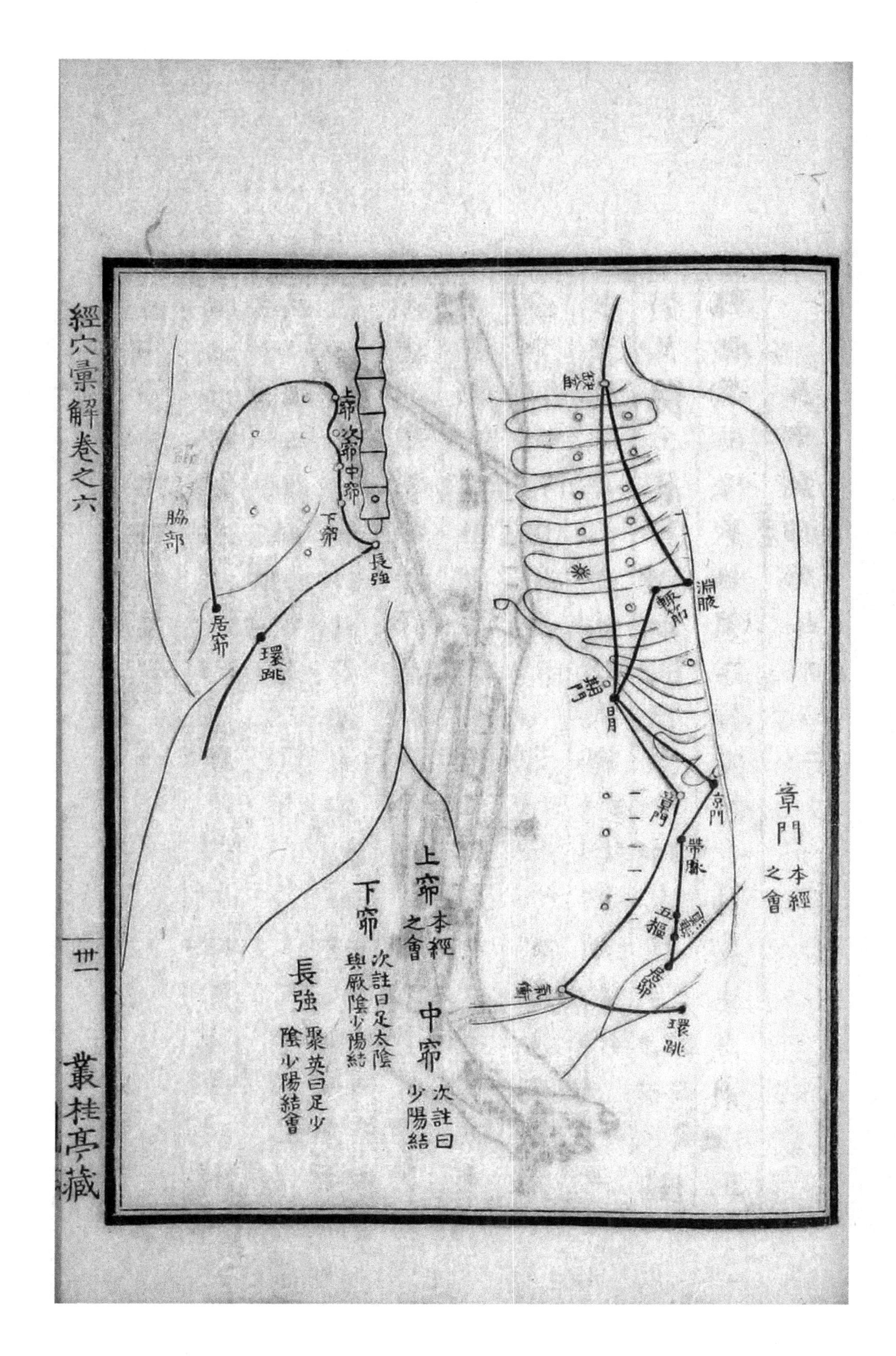
經穴彙解卷之六
卌一
叢桂亭藏
章門 本經之會
上窌 本經之會
中窌 次註曰少陽結
下窌 次註曰足太陰與厥陰少陽結
長強 聚英曰足少陰少陽結會
上窌
次窌
中窌
下窌
長強
居窌
環跳
脇部
淵腋
輒筋
日月
期門
章門
京門
帶脈
五樞
維道
居窌
環跳

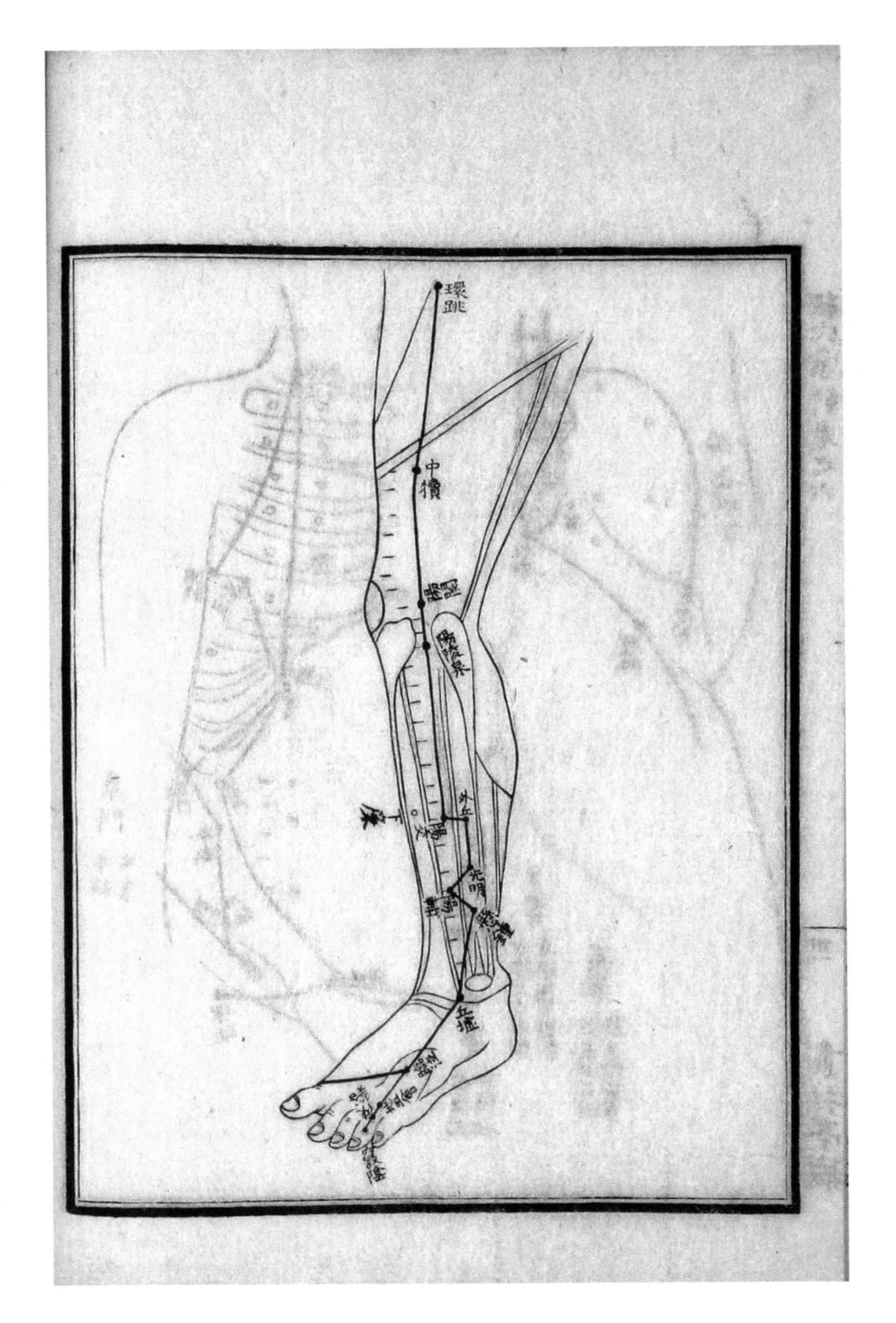
環跳
中瀆
陽陵泉
外丘
下廉
陽交
光明
陽輔
丘墟

足厥陰肝經　左右凡二十八穴

經脉篇云。肝足厥陰之脉。起於大指叢毛之際。大敦 上循足跗上廉。行間 太衝 去内踝壹寸。中封 上踝 三陰交 蠡溝 中都 捌寸。交出太陰之後。上膕内廉。膝關 曲泉 循股陰。陰包 五里 陰廉 入毛中。急脉 衝門 府舍 過陰器。抵小腹。曲骨 中極 關元 挾胃屬肝絡膽。上貫膈。章門 期門 布脇肋。循喉嚨之後。上入頏顙。連目系。上出額。與督脉會於巓。其支者。從目系下頰裏。環脣内。其支者。復從肝別貫膈上注肺。會於巓下。甲乙經注。有一云其支者。從小腹結於腰髁夾脊下第三第四骨孔中之文。

又云。足厥陰之別。名曰蠡溝。去内踝伍寸。別走少陽。其別者。循脛結於莖。

經別篇云。足厥陰之正。別跗上。上至毛際。合於少陽。與別俱行。此為二合。

衛氣篇云。足厥陰之本。在行間上五寸所。標在背腧也。

經筋篇云。足厥陰之筋。起於大指之上。上結於内踝之前。上循脛。上結内輔之下。上循陰股。結於陰器。絡諸筋。

熱論云。厥陰脉循陰器而絡於肝。

大敦 足厥陰脉之所行。 行間 所溜 大衝 所注 中封 所注○聚英作所行。 蠡溝 絡別走少陽。 中都 郄 膝關 所發○千金曰足厥陰郄 曲泉 所入 陰包

絡別走○註曰此處有缺。 五里 陰廉 急脈 次註曰厥陰之大絡 章門

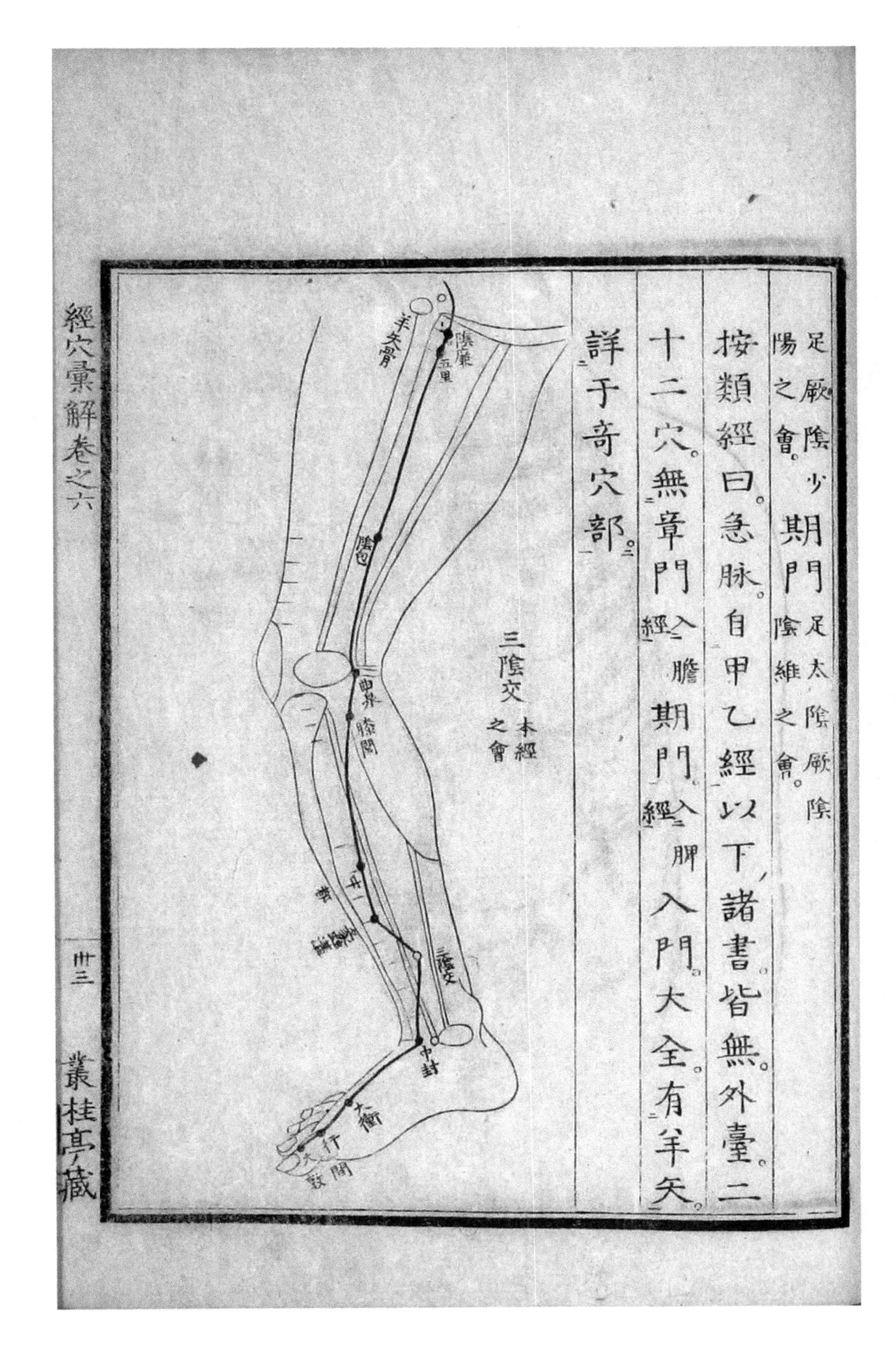

經穴彙解卷之六

足厥陰少陽之會。期門足太陰厥陰陰維之會。

按類經曰。急脉。自甲乙經以下。諸書皆無。外臺二十二穴。無章門入膽經。期門入脚經。入門大全有羊矢。詳于奇穴部。

卅三

叢桂亭藏

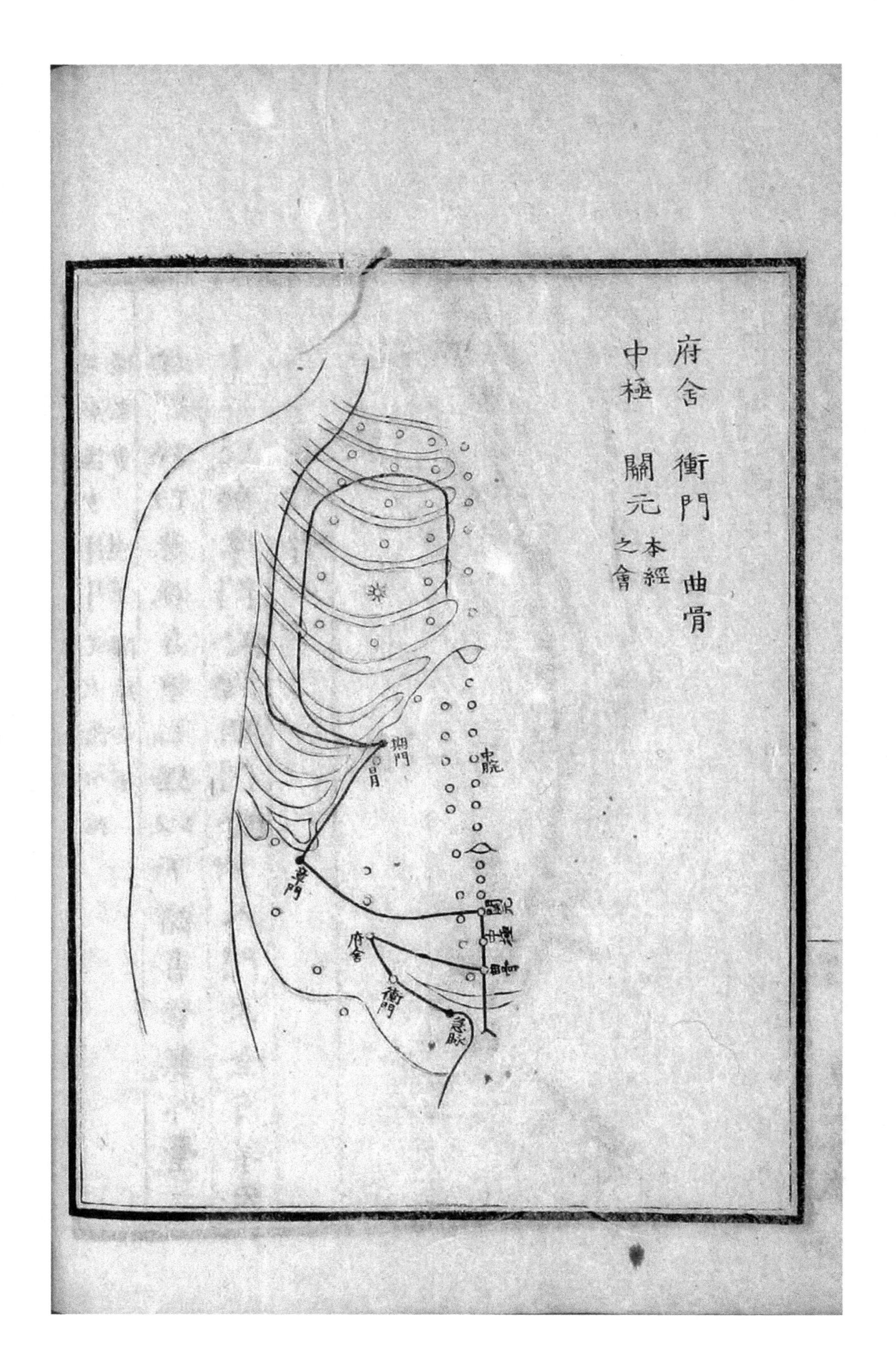
府舍 衝門 曲骨
中極 關元
本經之會
期門
日月
中脘
章門
府舍
衝門
急脈

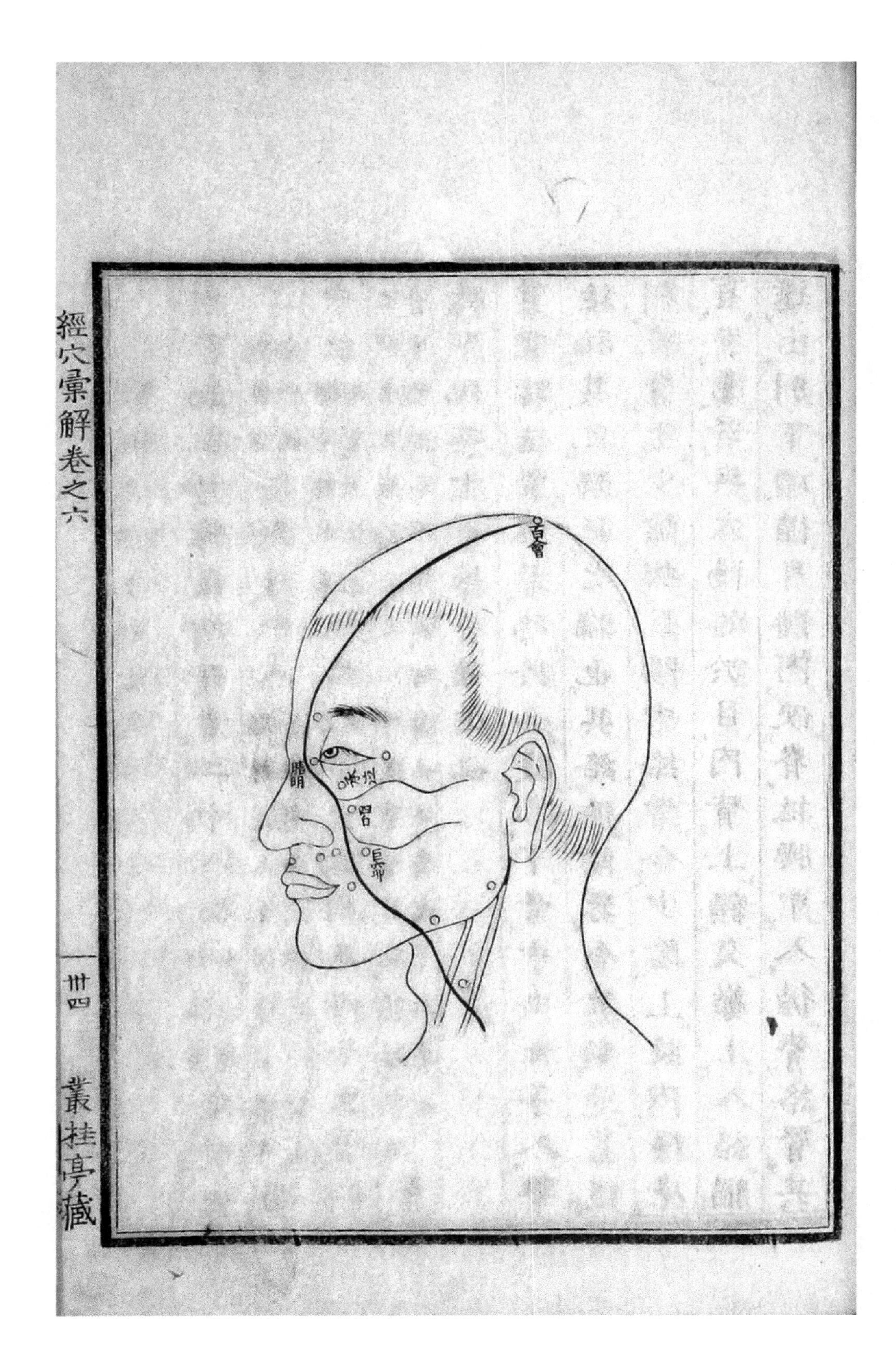
經穴彙解卷之六
百會
睛明
承泣
四白
巨窌
卅四
叢桂亭藏

督脉 凡二十八穴

氣府論云。督脉氣所發者。二十八穴。次註今少一穴。項中央二。謂風府瘂門也。髮際後中八。謂神庭。上星。顖會。前頂。百會。後頂。強間。腦户。八穴也。面中三。謂素髎。水溝。齗交。三穴也。大椎以下至尻尾及傍十五穴。脊推之間。有大推。陶道。身柱。神道。靈臺。至陽。筋縮。中樞。脊中。懸樞。命門。陽關。腰俞。長強。會陽。十五俞也。至骶下凡二十一節。脊推法也。

骨空論云。督脉者。起於小腹以下骨中央。女子入繫廷孔。其孔溺孔之端也。其絡循陰器。合篡間。繞篡後。別繞臀。至少陰與巨陽中絡者。合少陰上股内後廉。貫脊屬腎。與太陽起於目内眥。上額交巔上。入絡腦。還出別下項。循肩髆内。俠脊抵腰中。入循膂絡腎。其男子循莖下至簒與女子等。其少腹直上者。貫臍中央上貫心入喉上頤環脣上繫兩目之下中央。

營氣篇云。上額循巓下項中循脊入骶是督脉也。

經脉篇云。督脈之別。名曰長強挾膂上項散頭上下當肩胛左右別走太陽入貫膂。

難經曰。督脉者起於下極之俞並於脊裏上至風府入屬於腦。

長強 督脉別絡。少陰所結○聚英曰。足少陰少陽結會。督脉別走任脈。

腰俞 所發 陽

關 次註曰。督脉氣所發。

命門 所發

懸樞 同上

脊中 同上

中樞 次註曰。督脉氣所發

筋縮 所發

至陽 同上

靈臺 次註曰。督脉氣所發。

神道 所發

身柱 同上

陶道 督脉。足太陽之會

大椎 三陽督脉之會。○聚英。有手足二字。

瘂門 督脉陽維

之會

風府同上○聚英曰足太陽督脉陽維之會。腦戶督脉足太陽之會。強間

所發

後頂同上

百會督脉足太陽之會○聚英曰手足三陽督脉之會。

前頂所發

顖會同上

上星同上

神庭督脉。足太陽陽明之會。

素髎所發

水溝督脉

手足陽明之會○外臺。次註。無足字。

兌端手陽明。脉氣所發。

齗交次註曰任督二經之會○聚英曰。任督足陽明之會。

按甲乙。千金。外臺。無陽關。中樞。靈臺。外臺。無兌端。入大陽經。折衷。有會陽。曰。氣府。甲乙。本穴明係督脉。至銅人經。係之足太陽經。蓋推其意。甲乙。千金。無嫌他經之相混。以本穴列於足太陽第三行之末。故遂襲取之耳。今係之於督脉。以復其舊。比之他經之有絡穴者。發揮穴歌。作二十七穴。無會陽。滑壽

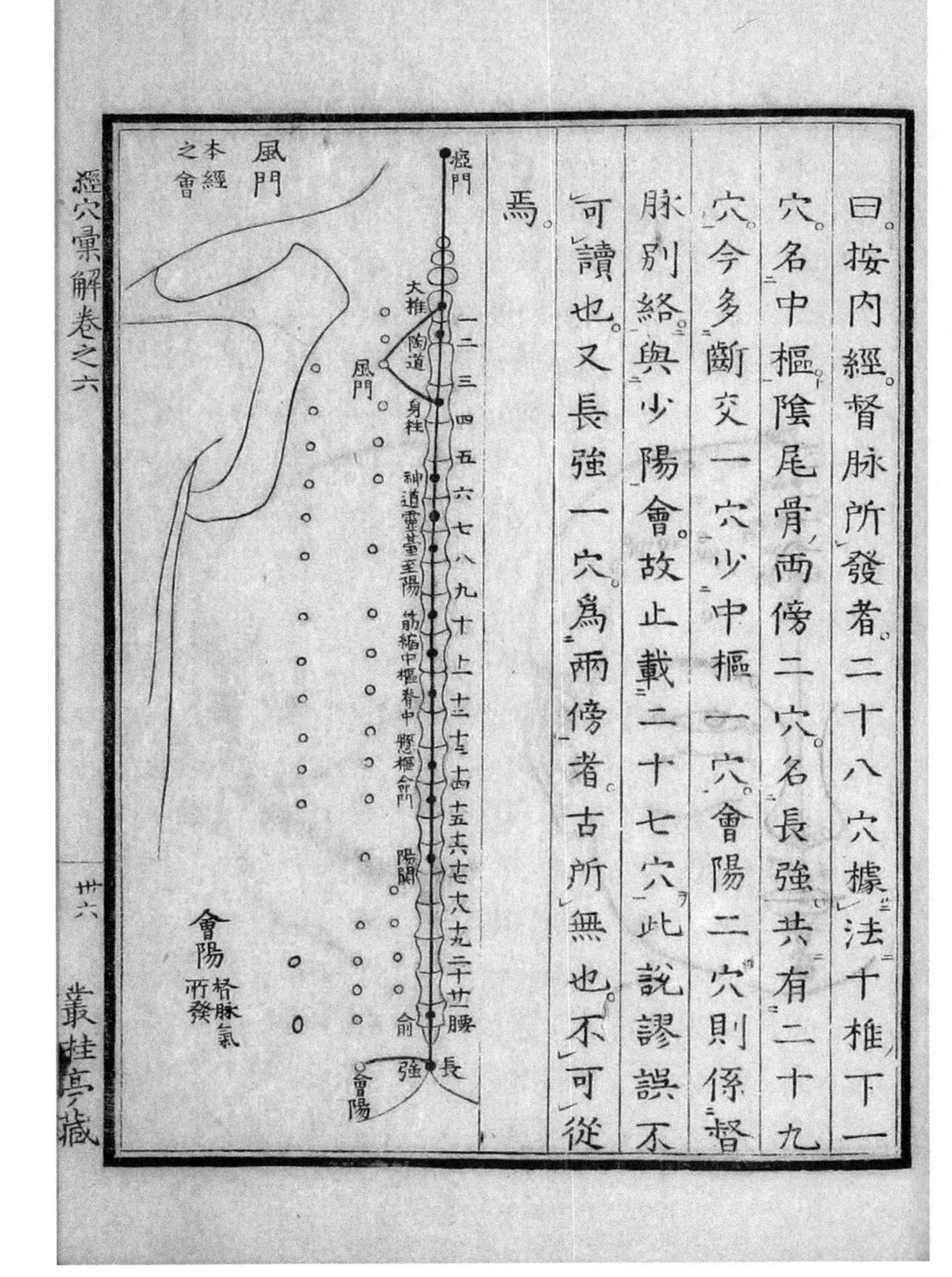

曰按内經督脉所發者二十八穴據法十椎下一穴名中樞陰尾骨兩傍二穴名長強共有二十九穴今多斷交一穴少中樞一穴會陽二穴則係督脉別絡與少陽會故止載二十七穴此說謬誤不可讀也又長強一穴為兩傍者古所無也不可從焉

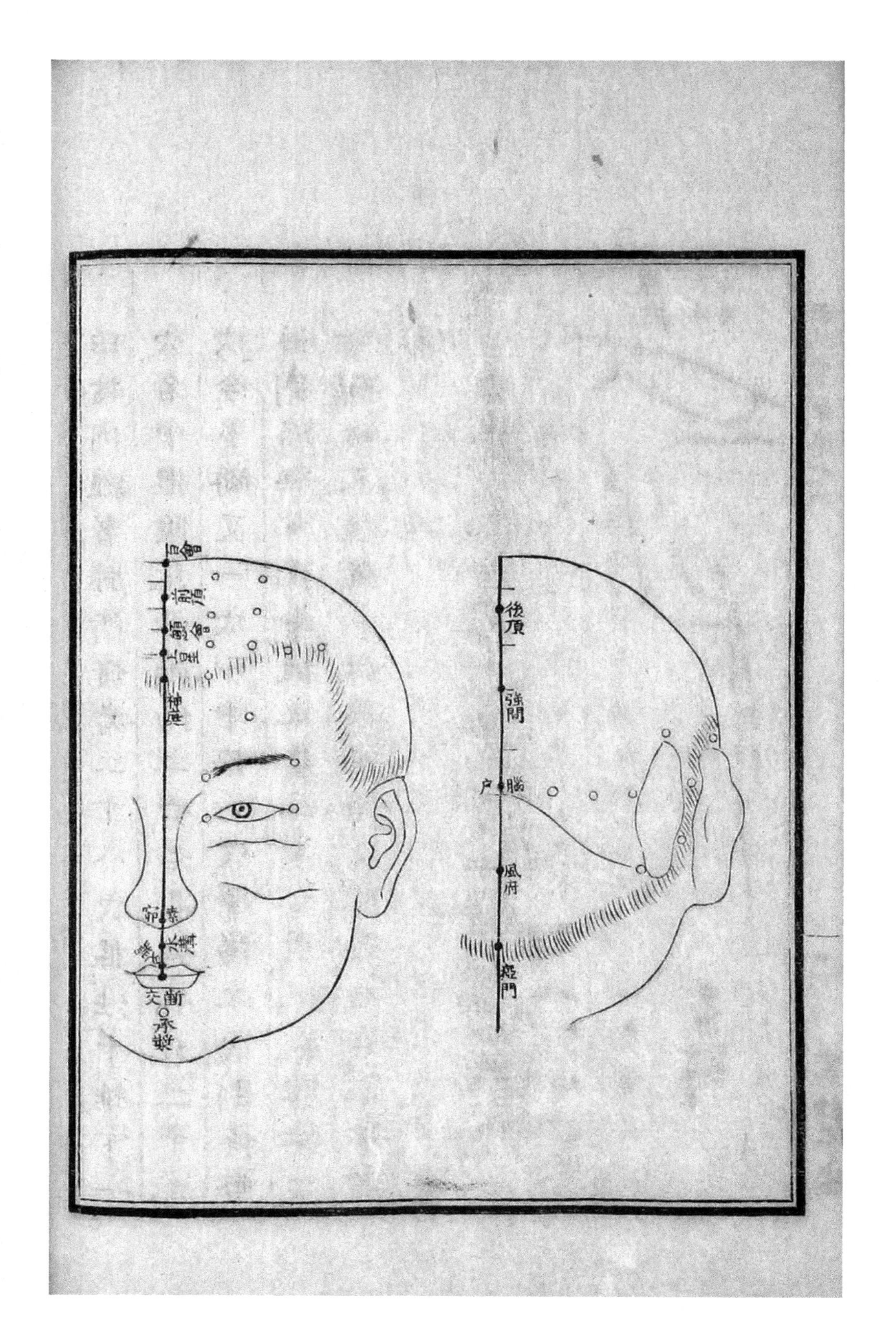
百會
前頂
顖會
上星
神庭
素窌
水溝
兌端
齗交
承漿
後頂
強間
腦户
風府
瘂門

任脉凡二十四穴

氣府論云。任脉之氣所發者二十八穴。次註。今少一穴。喉中央二。謂廉泉天突二穴也。膺中骨陷中各一。謂璇璣華蓋紫宮玉堂膻中中庭六穴也。鳩尾下三寸胃脘。五寸胃脘。以下至横骨六寸半一。新校正云。詳一字疑誤。腹脉法也。鳩尾巨闕上脘中脘建里下脘水分臍中陰交脖胦丹田關元中極曲骨十四俞也。下陰別一。謂會陰一穴也。目下各一。謂承泣二穴也。下脣一。謂承漿穴也。齗交一。齗交穴名也。

骨空論云。任脉者起於中極之下。以上毛際。循腹裏。上關元。至咽喉。上頤循面入目。按骨空論督脉者起少腹之條有其少腹直上者。貫臍中央。上貫心。上頤環脣。上繫兩目之下中央之文。宜合考。

營氣篇云。絡陰器。上過毛中。入臍中。上循腹裏。入缺盆。下注肺中。復出太陰。馬蒔曰。此任脉也。
五音五味篇云。衝脉。任脉。皆起於胞中。上循背裏。爲
經絡之海。其浮而外者。循腹。右上行會於咽喉。別而
絡脣口。
經脉篇云。任脉之別。名曰尾翳。下鳩尾散於腹。
難經曰。任脉者。起於中極之下。以上毛際。循腹裏。上
關元。至喉咽。
會陰任脉別絡。挾督脈衝脉之會。曲骨任脉。足厥陰之會。中極足三陰任脉之
會。關元同上石門所發氣海同上陰交任脉氣衝之會○外臺曰。任脉。衝脉。
少陰之會。次註。作任脉。陰衝之會。銅人曰。任脉氣所發。神闕水分所發下脘
足太陰任脉之會。建里中脘手太陽少陽。足陽明所生。任脉之會○次註曰。手太

陽少陽。足陽明三脉所生。任脉氣所發也。上脘任脈。足陽明。手太陽之會。巨闕所發鳩尾任脉之別中庭膻中玉堂紫宮華蓋璇璣中庭以下六穴。任脉氣所發。天突陰維任脉之會。廉泉同上承漿足陽明任脉之會。

按氣府論云。任脉之氣所發者二十八穴。王氷曰。今少一穴。乃今所載二十四穴也。加承泣齗交二十七穴。外臺無承漿。入胃經折衷無廉泉。入腎經據口齒類要。舌下廉泉。此屬腎經也。氣府論云。足少陰舌下。厥陰毛中急脈。各一。王氷曰。足少陰舌下二穴。在人迎前。陷中動脉前。是曰舌本。左右二也。又類經曰。按刺瘧論所載曰。舌下兩脉者廉泉也。氣

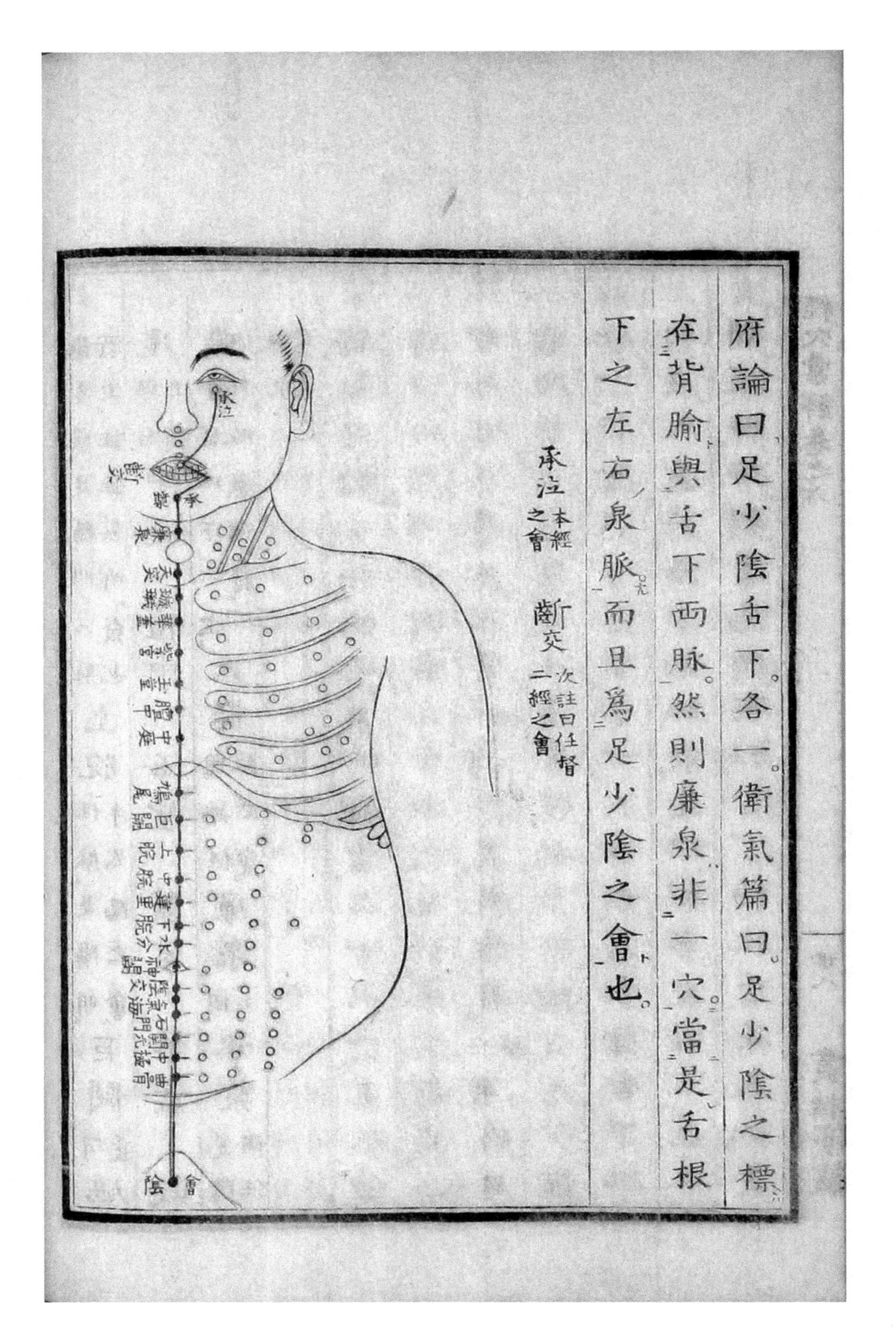

府論曰足少陰舌下各一衛氣篇曰足少陰之標在背腧與舌下兩脉然則廉泉非一穴當是舌根下之左右泉脉而且為足少陰之會也

承泣本經之會　齗交次註曰任督二經之會

經穴彙解卷之六

門人

水户醫官楊　元資子祐

水户　沼田　秀　春卿

水户　長久保起敬子考

陸奥　山形　玄之玄卿

同校

經穴彙解

卷之七
奇穴部

門 ヤ武9
號 421
巻 7

經穴彙解卷之七目次

奇穴部第十一

頭面第一

眉衝小竹　曲眉
魚腰　印堂
大陽　魚尾
睛中　光明
內迎香　鼻交頞中
鼻準　鼻柱
夾上星　上齗裏
上腭　舌下
脣裏　俠人中
俠承漿　鷰口
頰裏　聚泉

背腰部第二

胃官下俞三穴

背甲中間　腰目

腰目窌　腰眼鬼眼癸亥

項椎　脊梁中央

督俞高蓋　氣海俞

關元俞　髃骨

中樞　靈臺

陽關　關俞厥陰俞

督脊　五胠俞

精宮　痞根

中空　下極俞

氣堂　通關

龍頷　天瞿傍穴

胸堂　疰市

石關　轉穀

飲郄　應突

脇堂　旁廷注市

始素　九曲中府

帝門　腋門大陽陰腋間

氣門　辟息

神府　肓募

乳上　通谷

羊矢　蘭門

男陰縫 鬼藏　關門

鬼門　氣衝 氣中 氣堂

水分　食倉 食關

血門　神庭

水道　囊底 海底

龍門　陰莖

冲門

經穴彙解卷之七

水户侍醫　南陽原昌克子柔　編輯

奇穴部第十一

奇穴者。乃所謂阿是天應是也。而無其名目者。及此土灸法傳漢地者。載在神應經。聖濟總録。總收諸主治部中。不録于此。以無其名目也。岡本氏阿是要穴曰。皇甫士安甲乙經。素問氣府論王註。及滑伯仁十四經發揮。所載俞穴。今所存。惟有三百五十六穴。此佗四花。風市。腰眼。痞根等諸穴。以爲之奇俞。亦皆阿是也。内經。無奇輸。靈樞刺節直邪論。有奇輸二字。而非云三百五十六穴之外。別有奇輸也。又阿是名素靈所無。千金方始見之。經筋篇云。以痛爲輸。馬玄臺註證發微曰。俗曰天應穴者是也。夫輸穴本繫經絡者。而奇輸阿是。豈有外經絡之理乎。風市者。足少陽膽經之所注。腰眼者。足太陽膀胱經之所流。其佗可類推也。崔氏四花穴。四明高武考之。爲足太陽第二行。膈俞膽俞。四穴凡奇輸。明所屬之經絡及本穴。而鍼灸之効。始可照然也。乃今以阿是要穴。所載遺漏不爲不少。更輯奇俞名目散在諸書者。以錄之。又只淺見寡聞。何能盡于此乎。又以俟後進君子。而如馬蒔所

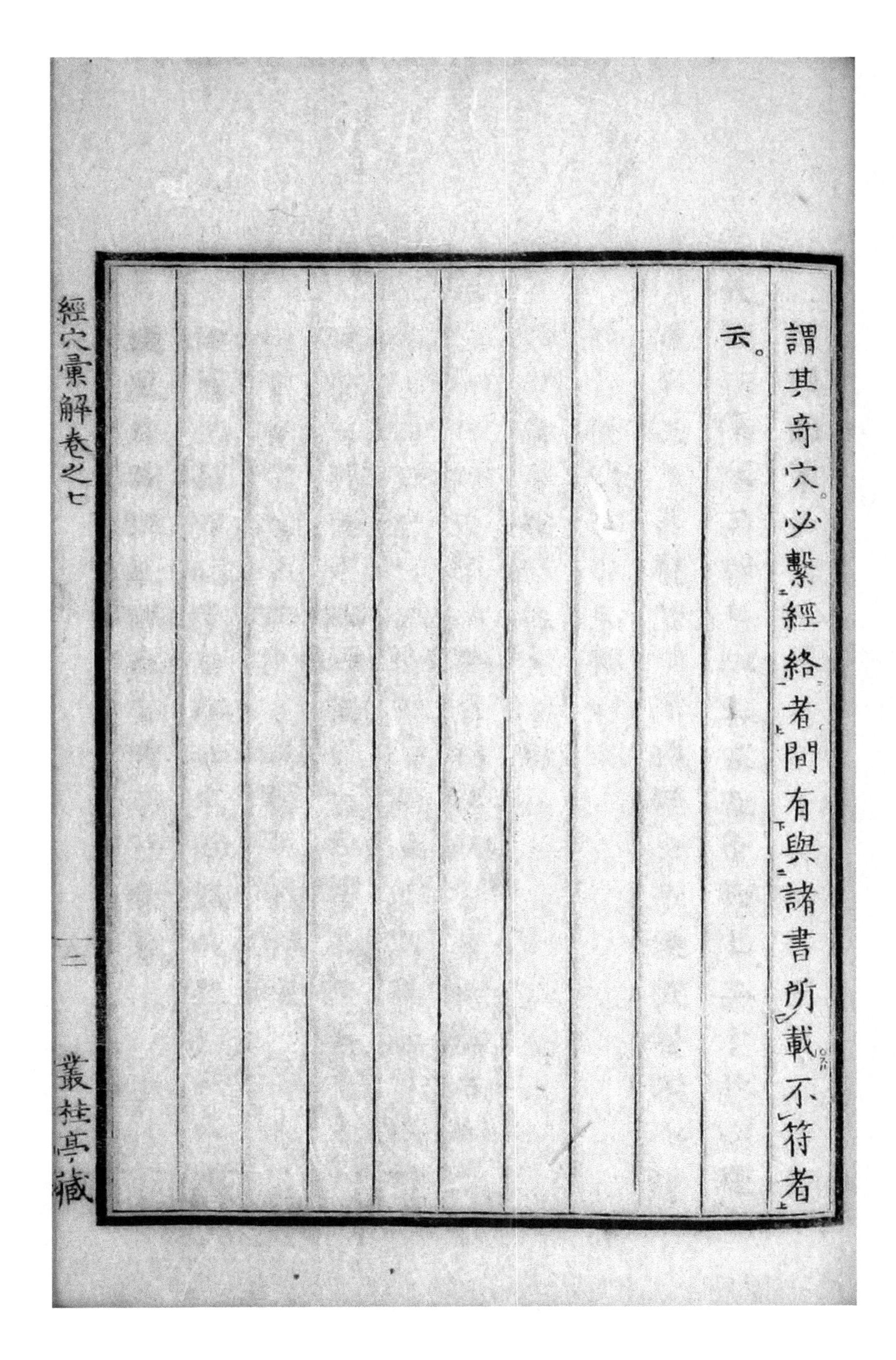

謂其奇穴必繫經絡者間有與諸書所載不符者云。

頭面第一

天聰傷寒三四日以上宜先灸胸上二十壯以繩度鼻正上盡髪際中屈繩斷去半便從髪際入髪中灸繩頭名曰天聰千金

按千金翼聰作窻囱作囟

神聰四穴資生　前神聰後神聰類經百會四面各相去壹寸資生去前頂伍分自神庭至此穴共肆寸後神聰去百會壹寸類經神聰百會四花求各取壹寸大全以百會穴為中四邊各開貳寸半銀海精微

按資生經曰明堂有此四穴而銅人無之其穴治頭風目眩狂亂風癇亦所不可廢者

明堂　鼻直上入髮際壹寸。資生

按資生曰。按銅人明堂。及諸家鍼灸經。鼻直上入髮際壹寸。皆云上星穴。明堂經。於此復云明堂穴不知何所據。所謂疑以傳疑也。大全曰。府下伍分。府下風府言啞門。中門下伍分髮際終。更有明堂一穴。差。

大門　猥退風。半身不隨。灸大門。腦後尖骨上壹寸。千翼

髮際　兩眼小眥上髮際。資生平眉上參寸。類經

按資生曰。岐伯。灸頭旋目眩。及偏頭痛不可忍。牽眼睆睆。不遠視。灸一壯。立瘥。類經曰。主治頭風眩

暈疼痛延久不愈灸三壯又曰治衄血於項後髮際。兩筋間宛中，穴。灸三壯。蓋血自此入腦注鼻中。故灸立止。

寅門　從鼻頭直入髮際。度取通繩分為三斷繩取一分入髮際。當繩頭。針是穴治馬黃疸等病。千金

按千金翼。針作銼。

陽維　耳風聾雷鳴。灸陽維五十壯在耳後引耳令前絃絃筋上是。千金翼

顋中　千金

頟上　千金

耳上　千金　若目反上視。眸子動。當灸顋中。取之法。横度

口盡兩吻際又橫度鼻下亦盡兩邊折去鼻度半
都合口爲度從額上髮際上行度之灸度頭一處
正在顖上未合骨中隨手動者是此最要處也次
灸當額上入髮際貳寸許直望鼻爲正次灸其兩
邊當目瞳子直上入髮際貳分許次灸項上廻毛
中次灸客主人穴在眉後際動脈是次灸兩耳門
當耳開口則骨解開動張陷是也次灸兩耳上捲
耳取之當捲耳上頭是也一法大人當耳上橫三
指小兒各自取其指也次灸兩耳後完骨上青脉
亦可以針刺令血出次灸玉枕項後高骨是也次
灸兩風池在項後兩轅動肋（肋恐作脉）當外髮際陷中

是也。次灸風府，當項中央髮際，亦可與風池三處高下相等。次灸頭兩角，兩角當迴毛兩邊起骨是也。千金

耳尖　按耳尖上，捲耳取尖上。大成

耳孔中　耳門孔上橫梁，是鍼灸之，治馬黃，黃疸，寒暑疫毒等病，又治卒中風口喎不正，以葦筒長五寸，以一頭刺耳孔中，四畔以麪密塞之，勿泄氣，一頭內大豆一顆，並艾燒，令然，灸七壯，即瘥。患右灸左，患左灸右。千金不傳。耳病亦可灸之。千金

鬱中　耳前兩邊。雲林神穀

按雲林神穀曰，灸哮吼神法，患者耳前兩邊名鬱

中二穴。壽世保元。耳前。作胸中。未知孰是。

顳顬　眉眼尾中間。上下有來去絡脉。千金

按與腦空異。千金曰。針灸之治四時寒暑所苦疽氣溫病等。

當陽　眼急痛。不可遠視。灸當瞳子上入髮際壹寸。隨年壯。千金　去臨泣伍分。類經

按資生曰。銅人無當陽穴。而明堂下經有之。亦不可廢者。其穴與臨泣相近。大全曰。當陽二穴當瞳人。

當容　肝勞邪氣眼赤。灸當容百壯。兩邊各爾。穴在眼小眥近後。當耳前三陽三陰之會處。以兩手按

之。有上下横脈。則是與耳門相對是也。金千

按千金翼。無小背近、三字外臺耳前、下有客主人、

三字。

眉衝　一名小竹。當兩眉頭。直上入髮際。資生　禁灸。

入門

按資生曰。明堂上經有眉衝穴。而銅人經。無之。又

曰。其穴與曲差相近。入門曰。直眉頭上神庭。曲差

之間。大全曰。眉衝二穴兩眉頭。直上入髮際相求。

鍼灸大成作直眉頭。神庭。曲差之間。膀胱經攢竹。

後。有此穴。

曲眉　兩眉間。千翼

按面風游風云云灸二百壯。

魚腰　眉中間。大成

印堂　兩眉中間大全陷中大成

按此穴曲眉魚腰穴同處蓋異名也。針之治目疼。灸之治急慢驚風大全曰。兩眉角痛不已。

大陽　眉後陷中。大陽紫脉上。大成

按絲竹空也洗寃錄曰。眉際之末者。大陽穴。宜與瞳子髎合考奇効良方曰。大陽二穴。在眉後陷中。大陽紫脉上是穴。治眼紅腫及頭痛。宜用三稜鍼出血。出血之法。用帛一條。緊纏其項紫脈即見。刺見血立愈。

魚尾　目眥外頭。類經

按銀海精微曰。小眥横紋盡處。大全曰。眉外頭。小字是外之誤。眉字是目之誤。此穴似瞳子髎。疑是其穴。千金曰。眼戴精上插灸目兩眥後二十壯。蓋指魚尾。

睛中　眼黑珠正中。取穴之法。先用布搭目外。以水淋一刻。吳文炳作冷水。方將三稜鍼於目外角離黑珠壹分許。刺入半分之微。然後入金鍼約數分。深旁入吳文炳無旁入二字。自上層轉撥向瞳人輕輕而下。斜插定目角。即能見物。一飯頃。吳文炳。作一法要。出針輕扶偃臥仍用青布搭目外。再以冷水淋三日夜止。初針之

時正坐盤膝將筋一把两手握於胸前寧心正視其穴易得治一切内障年久不能視物頃刻光明神秘穴也。大成

光明　對瞳人上眉中是光明穴。銀海精微

内迎香　鼻孔中治目熱暴痛用蘆管子搐出惡血効。大成

鼻交頞中　鼻孔頞中一穴針入六分得氣即寫留三呼寫五吸不補亦宜灸然不如針。千金翼

按經脈篇曰足陽明之脉起於鼻之交頞中是其名稱所出。

鼻準　鼻柱尖上是穴專治鼻上生酒酢風宜三稜

鍼出血効。大成

鼻柱　治涕出不止。灸鼻兩孔與柱齊七壯。千金

夾上星　治鼻中息肉。夾上星相去參寸。各百壯。千金

上齗裏　正當人中及唇。針三鋥。治馬黃黃疸等病。千金

按千金翼。作三分鋥。

上腭　入口裏邊在上縫赤白脈。是針三鋥。治馬黃黃疸四時等病。千金

按千金翼。脉下有上字。

舌下　俠舌兩邊。針治黃疸等病。千金

按千金翼。灸黃法。作舌下俠舌兩邊針鋥。次註曰。

足少陰。舌下二穴在人迎前。是曰舌本。不與是同

口齒類要曰。舌下廉泉。此屬腎經。說已見。

脣裏 正當承漿裏邊。逼齒齗。針三鋥。治馬黃黃疸

寒暑温疫等病。千金

按内經集註曰。任脈之斷交。入下齒。詳斷交下。

俠人中 火針。治馬黃黃疸。疫。通身並黃。語音已不

轉者。千金

俠承漿 去承漿兩邊各壹寸。千金

鷰口 狂風罵詈。撾斫人。名為熱陽風。灸口兩吻邊。

鷰口處赤白肉際。各一壯。千金

按千金。風痞狂邪。口眼相牽等。往往灸之。宜據本

類考之千金曰，狂走剌人，或欲自死，罵詈不息，稱鬼神語，灸口吻頭赤白際一壯。又小兒大小便不通，灸口兩吻各一壯。

頰裏　從口吻邊入往對頰裏，去口一寸。針主治馬黃黄疸，寒暑温疫等，頰兩邊同法。千金

按千金翼針作鍉。

聚泉　舌上當舌中，吐出舌，中直有縫陷中是穴。治哮喘咳嗽，及久嗽不愈，若灸則不過七壯。灸法用生薑薄切一片，搭於舌上穴中，然後灸之。如熱嗽，用雄黄末少許，和於艾炷中，然後灸之。如冷嗽，用款冬花爲末，和艾炷中灸之。灸畢，以清茶連生薑

細嚼嚥下又治舌胎舌強亦可治用小鍼出血大成

左金津右玉液　舌下兩傍紫脉上類經捲舌取之大成

按大全曰金津一穴在舌下左邊玉液一穴在舌下右邊醫經小學曰舌底紫脈有二穴左爲金津右爲玉液奇效良方曰在舌下兩脉紫脉上是穴捲舌取之治重舌腫痛喉閉用白湯煑三稜針出血

海泉　舌下中央脈上類經

按大全曰在舌理中奇效良方曰在舌下中央脉上是穴治消渴用三稜鍼出血癰論曰舌下兩脉廉泉也海疑是廉字之誤廉泉之説既見

舌柱　舌下之筋如柱者。經類
按終始篇曰。重舌刺舌柱。又按海泉舌柱疑是同處。

懸命　一名鬼祿。鬼邪妄語。灸懸命十四壯。穴在口唇裏中央絃。絃者是也。又用剛刀決斷絃。絃者乃佳。千金

按千金翼。剛作鋼。明堂。作上唇中央絃上。

頭縫　額角髮尖處。治頭目昏沈大陽痛。大全
按是頭維穴歟。

下頤　頤下骨陷中。次註
按骨空論云。髓空。在腦後伍分。顱際鋭骨之下一

在斷基下。次註曰。當頤下骨陷中有穴。容豆。中諸

圖經。名下頤。

面八邪穴　外科全書云面八邪。

一承光　兩穴在髮際。

二攢竹　兩穴在眉心。

三禾窌　在口上唇人中兌端左右。

四人迎　在口下唇

迴髮五處　以繩橫度口至兩邊。既得口度之寸數。

便以其繩一頭。更度鼻盡其兩邊兩孔間得鼻度

之寸數中屈之。取半合於口之全度中屈之。先覓

頭上迴髮。當迴髮中字十與有灸之。以度度四邊左右

前後當繩端而灸前以面為正並依年壯多少一年凡三灸皆須瘡瘥又灸壯數如前若連灸火氣引上其數處迴髮者則灸其近當鼻也若迴髮近額者亦宜灸若指面為癥則闕其面處然病重者亦不得計此也千金

按千金翼連灸作速灸

督脈　卒癲灸督脈三十壯三報穴在直鼻中上入髮際千金

左角

結喉

維角

舌根

按以上四穴。出千金翼方。雜法篇中無穴註。

頷頂

按出大全鶴膝風條無穴註。未知何處。

中矩

一名垂矩。在頰下骨裏曲骨中。此一穴。出□

華佗傳也。主中風舌強不能語。及舌乾燥。丹波康賴醫心

方

按燥。一本作㦮。誤也。

背腰部第二

肩頭灸癖法。八月八日。日出時。令病人正當東向戸長跪。平舉兩手。持戸兩邊。取肩頭小垂際骨解宛宛中灸之。兩火俱下。各三壯。若七壯。十日愈。千金

按資生經云。灸牙疼法。隨左右所患。肩尖微近後骨縫中。小舉臂取之。當骨解陷中。灸五壯。予親灸數人皆愈。灸畢項大痛。良久乃定。永不發。予親病齒痛。百方治不驗。用此差。

肩柱骨　肩端起骨尖上。大成

按與肩頭穴同處。

巨闕俞　第肆推。名巨闕俞。主胸膈中氣。灸隨年壯。

第肆椎。名厥陰俞。主胸中膈氣積聚好吐。隨年壯灸之。千翼 同上

按與腹部巨闕同名異穴。千金曰。胸膈中氣灸闕腧。註曰。扁鵲云。第肆椎下兩傍各壹寸半。名闕腧。詳于背部二行中。

臣覺 背上甲內側。反手所不及者。骨芒穴上捻之痛者是也。千金 骨芒穴上陸分。千翼

按千金註曰。臣覺亦作巨攪。千金翼云。狂走喜怒悲泣。灸巨覺。而甲作俠。註曰。一云巨闕俞。又雜法篇作巨覽。註曰。一作覺。千金頭註曰。骨芒疑膏肓之誤。

胃脘下俞三穴　治消渴咽喉乾。灸胃脘下腧三穴。灸百壯。穴在背第捌椎下。横参間寸灸之。千金

背甲中間　狂走刺人。或欲自死。罵詈不息。稱鬼神語。灸背甲中間三壯。報灸之。倉公法。神效。千金

腰目　消渴小便數。灸腰目。在腎俞下参寸。亦俠脊骨兩傍各壹寸半。左右以指按取。千金 以指按陷中 千翼

按千金曰。消渴小便數。灸當脊梁中央解間一處。與腰目上兩處。凡三處。

腰目窌　腰痛。灸腰目窌七壯。在尻上約左右。是。千金

腰眼　一名鬼眼。大成 一名癸亥。阿是要穴 令病人平眠。以

筆於兩腰眼宛宛中點二穴各灸七壯。此穴諸書
所無。而居家必用載之云。累試累驗。類經
按腰目以下三穴蓋同穴也。鍼灸大成曰。鬼眼專
主勞蟲令病人舉手向上略轉後些則腰上有兩
陷。居家必用云。治諸勞瘵已深難治者以癸亥日
二更盡入三更令病人平眠以筋於兩腰眼點兩
穴各灸七壯。累試累驗。類經曰。癸亥二更後將交
夜半乃六神皆聚之時。勿使人知令病者解去下
衣舉手向上略轉後些則腰間兩傍自有微陷可
見。是名鬼眼穴即俗人所謂腰眼也。正身直立用
墨點記然後上床合面而卧用小艾炷灸七壯。或

九壯十一壯尤好其蟲必於吐瀉中而出燒燬遠

棄之可免傳染此四花等穴尤易且效岡本阿是

要穴一名癸亥

頂椎千金

脊梁中央　消渴小便數灸兩手小指頭及足兩小

趾頭並灸頂椎佳又灸當脊梁中央解間一處與

腰目上兩處凡三處千金

按千金翼灸黃法脊中椎上七壯蓋同處

督俞一名高蓋資生在陸椎下兩傍各半寸通灸資生

入門正坐取之金鑑　禁鍼資生

按資生背俞第二行載此穴曰銅人經缺此穴明

經穴彙解卷之七　十四　叢桂亭藏

堂經有之。今依明堂入在此。恐銅人本不全也。類經。寸半作貳寸。入門。灸三壯。主寒熱心痛。腹痛。雷鳴。氣逆高蓋。與腎俞同名。

氣海俞　在拾伍椎下。兩傍各寸半通灸。資生入門正坐取之。大成

按類經。寸半作貳寸。入門。入足太陽經。主腰痛痔漏。資生曰明堂。有氣海俞。而銅人無之。恐銅人本不全。

關元俞　在拾質推下。兩傍各寸半通灸。資生入門伏而取之。大成金鑑

按類經。寸半。作貳寸。入門。入足太陽經。主風勞腰

痛。泄痢。虛脹。小便難。婦人瘕聚。諸疾。資生曰。明堂。
有關元俞。而銅人無之。恐銅人本不全。
髃骨 次註校正 新見肩髃下
中樞 次註
靈臺 次註
陽關 次註
關俞 千金 一名厥陰俞 資生
以上四穴。載背部中行部。
督脊 小兒驚癇。脊強反張。灸大椎。並灸諸臟腧及
督脊上當中。從大椎至窮骨中屈。更從大椎度之。
灸度下頭。是督脊也。右背部十二處。十日兒可灸

三壯一月已上可灸五壯千金

五胠俞素問　見譩譆下

精宮入門　見志室下

痞根　專治痞塊拾參椎下各開參寸半多灸左邊如左右俱有左右俱灸入門以指揣摸自有動處即點穴灸之大約穴與臍平類經

中空　從腎俞穴量下參寸各開參寸是穴此即膀胱經之中髎也大成

按不當中髎是註誤

下極俞　第拾伍椎名下極俞主腹中疾腰痛膀胱寒澼飲注下隨年壯灸之千翼

按難經下極之腧。滑壽曰。兩陰之間屛翳處也。不與此同。千金無第拾伍椎及中字。

肩上　髀俞下肆寸。俠脊梁壹寸半。二穴。千翼

脊背五穴類經　治大人癲小兒驚癇法。灸背第二椎及下極骨兩處。以繩度中折。繩端一處是脊骨上也。凡三處畢。復斷此繩作三折。令各等而參合如厶字。以一角注中央。灸下二角俠脊兩邊。便灸之。凡五處也。以丹注所灸五處。灸百壯。削竹爲度。勝繩也。千翼

夾脊　治霍亂轉筋。令病人正合面臥。伸兩手着身。以繩橫兩肘尖頭。依繩下。俠脊骨兩傍。相去壹寸

半灸一百無不差者。千翼

按註曰肘後方云此華佗法。

濁浴 俠膽腧傍行相去伍寸。千金

按千金曰治胸中膽病千金翼同

下腰 八魁正中央脊骨上灸數多尤佳三宗骨是

忌鍼 千金

按千金曰泄痢久下失氣勞冷灸下腰百壯三報

千金翼無央字又按八魁三宗骨未詳東醫寶鑑

魁作髎稍通

榮衞四穴 大小便不利欲作腹痛灸榮衞四穴百

壯穴在背脊四面各壹寸千金千翼

按背脊四面未知何處恐脫語醫學綱目云在背脊四面各壹寸捌分腰眼下參寸挾脊相去肆寸兩邊各四穴灸十壯至百壯

回氣　五痔便血失屎灸回氣百壯穴在脊窮骨上

赤白肉下千金類經

按千金翼回作廻曰五痔便血失屎灸回氣百壯在脊窮骨上赤白下灸窮骨惟多爲佳赤白下蓋言下織物類經加肉字曰脊窮骨上赤白肉下更按窮骨上似無赤白肉果夫張氏之是乎

團岡　腹熱閉時大小便難腰痛連胸灸團岡百壯穴在小腸俞下貳寸横三間寸灸之千金

按千金翼。腹作腹中。似中膂穴。醫學綱目東醫寶
鑑作環岡。

後腋　治頸漏。背後兩邊腋下後文頭。類經千金。引腋後
廉際兩筋間。主腋外相引而痛。手臂拘攣急。不得
上頭。外臺

按類經。作後腋下穴。阿是要穴曰。頸漏。今所謂氣
腫。一曰瘰癧漏也。

接脊　小兒痢下赤白。秋末脫肛。每廁肚疼。不可忍
者。灸拾貳推下節間名接脊穴。灸一壯。如小麥大

明堂

胛縫　背端骨下。直腋縫尖。及臂。取貳寸半。瀉六吸。

主治肩背痛連胛（醫綱）

按玉龍賦曰肩脊痛兮五樞兼於背縫寶鑑無貳

寸半三字

背籃　治瘧如神令病人跣足於平正處並脚立用繩一條自脚枝周匝截斷却於頂前般過背上兩繩盡處脊骨中是穴先點記待將發急以艾灸之三七壯其寒熱自止此法曾遇至人傳授妙不可言名曰背籃穴也（壽世保元）

尾翠骨上參寸骨陷間（明堂）

按與長強同名骨上蓋言窮骨上

身八邪穴　外科全書云身八邪

一肩井　在兩頸側。

二風門　夾脊對第四節。

三肺俞　夾脊對第五節。

四曲澤　在兩臂曲。

按四節五節，當作二節三節。

第二十二椎兩傍　主腰背不便，筋攣痹縮，虛熱閉塞。灸隨年壯，兩傍各壹寸伍分。千翼

按脊椎二十一節，古今通説。今言二十二椎者，連數項骨者歟。恐有誤。

四花患門　一名六花。幼幼新書

蘊沈良方曰：灸三十種骨蒸法，崔丞相灸勞法，外

臺秘要。崔相家傳方。及王燾臣經驗方。悉編載。然皆差誤。毘陵郡有石刻。最詳。余取諸本。悉校成此書。此古方。極爲委曲。依此治人。未嘗不驗。往往一灸而愈。予在宣城。久病虚羸。用此而愈。

唐中書侍郎崔知悌序曰。夫含靈受氣。稟之於五行（外臺。作常。同義。）搆生。乖理。降之以（萬安方。作於）六疾。岐黃廣記蔚（外臺。作抑。）有舊經。攻灸兼行。顯著斯術。骨蒸病者。又名傳屍。又謂殗殜。又稱伏連（萬安方。作死敗。）又曰無辜（萬安方。無此四字。）丈夫以癖氣爲根。婦人以血氣爲本。無問長（萬安方。作老。）少。多染此病。嬰孺之流。傳注更苦。其爲狀也。髮乾而聳（而聳。萬安方。作露耳。）或聚或分。或腹中有塊。或腦後兩邊有結。多者乃至五六。或夜臥盜汗。夢與鬼交。雖自外臺萬安方。作目。視分明。而四肢無力。或上氣食少。漸就沈羸。縱延日時。終於殞盡。余昔忝洛十藥神書。作濟。州。司馬嘗三十日。灸治外臺。萬安。作活。一十三人。前後瘥者數逾二百。至於狸骨獺肝。徒聞曩說。金牙銅鼻。罕見其能。未若此方。扶危拯急。非止單攻骨蒸。又別療氣療風。或瘴或勞。或邪。或患狀既廣。灸治萬安。作活。不可具述。略陳梗槩。又恐傳授訛謬。以誤將來。今故具萬安。作具故。圖形狀。庶令覽者易悉。使所有外臺。萬安。作在。流布。頤外臺。萬安。作頗。用家藏。未暇外請名醫。傍求上藥。還魂返魄。何難之有。遇斯疾可不務乎。陳仕賢濟世良方曰。青囊經云。此四花穴法。醫者固要精於點取。患者全在愼於保養不然何能取效男女五勞七傷氣虛血弱骨蒸盜汗。形容憔悴。咳嗽痰喘。五心煩熱。諸虛羸痩。腹中積聚。久病痼疾。凡所有見。悉皆治之。

取穴法

先定萬安作兩。方。穴令患人平立正取一細繩蠟之勿令展縮。以上六字。聖濟總錄。萬安。細註。順脚底貼肉堅踏之男左女右。以上四字。聖濟萬安細註。其繩前頭與大拇指端齊後頭令當脚根聖濟萬安作跟。中心向後引繩循脚脛萬安作肚。貼肉直上至曲脷外臺作膕。中大横文截斷又令患人解髮分濟世良方有開字。兩邊濟世良方作要。令見頭縫自顖門平分至腦後乃平身正坐取向所截繩一頭令與鼻端齊引繩向上正循頭縫至腦後貼肉垂下循脊骨引繩向下至繩盡處。當脊骨。以墨點記之。墨點不見灸處又取一繩子。令患人合口。將繩子按於口上兩頭至聖濟兩字有吻。却抱聖濟萬安作鉤起。繩子中心至鼻柱根下。令如へ。此便齊兩吻。截斷。將此繩展令直。於前來醫學正傳作量脊骨上墨點處。横量取平。勿令高下。繩子先中揞當中。以墨記之。却展開繩子横量。以繩子上墨點正壓脊骨上。墨點爲正。兩頭取平。勿令高下。於繩子兩頭以白圈記白圈。是灸穴也。以上六字萬安細註。

以上是第一次點二穴。

按大全曰。是灸穴名曰患門二穴。患門名創于此。

入門曰。如婦人足小難以准量。可取右手肩髃穴。

貼肉量至中指頭齊亦可不若只取膏肓灸之亦妙次灸四花無有不効類經又載此說曰庚子得宜然不當患門不可從又曰婦人以膏肓穴代之亦可也不當患門不可從十藥神書曰婦女纏脚者短小非自然也若以量脚繩子加之首必不及也今移附於右肩髃穴點定引繩向下至中指盡處截斷以代量足之用

次二穴令其人平身正坐稍縮臂膊取一（濟世良方有蠟字）繩繞項向前雙垂與鳩尾齊鳩尾是心岐骨人有無心岐骨者至從胸前兩岐骨下量取壹寸即鳩尾也即是雙截斷却皆（聖濟作脊）翻繩頭向項後以繩子中停

取心正令當喉嚨結骨上其繩兩頭夾項雙垂循脊

骨以墨點記之墨點不是灸穴又取一繩子令其人

合口橫量齊兩吻濟世良方有如一字様之四字截斷還於脊骨上以

萬安以字有墨點處字聖濟有橫量始如上聖濟作法繩子兩頭以

白圈記之白圈是灸穴處類經曰是四花左右二穴也

以上是第二次點穴通前共四穴同時灸日別

灸七壯至二七壯累灸至一百壯或一百五十

壯為妙候灸瘡欲瘥又依後法灸二穴

又次二穴以第二次量口吻繩子於第二次雙繩頭

盡處墨點上當脊骨直上下豎點令繩中停醫學正傳令繩

中停作其繩子字中心在墨點上於上下繩盡頭正傳作處以白

圖兩穴白圈是灸穴處

以上是第三次點兩穴謂之四花灸兩穴各百壯三次共六穴各取離日量度訖即下火唯須三月三日艾最佳病瘥百日內忌飲食房室安心靜處將息若一月（聖濟作百日）後覺未差復初穴上再灸

按四花灸穴諸書所載不一蘇沈良方校成諸本序文如所言而魯魚居多今以萬安方校之他書之文大不同始取其句差異者註之再閲頗覺其煩仍悉削去之只註一二字異而義易通者崔氏序曰具圖形狀而其圖不載諸書亦無焉今據萬

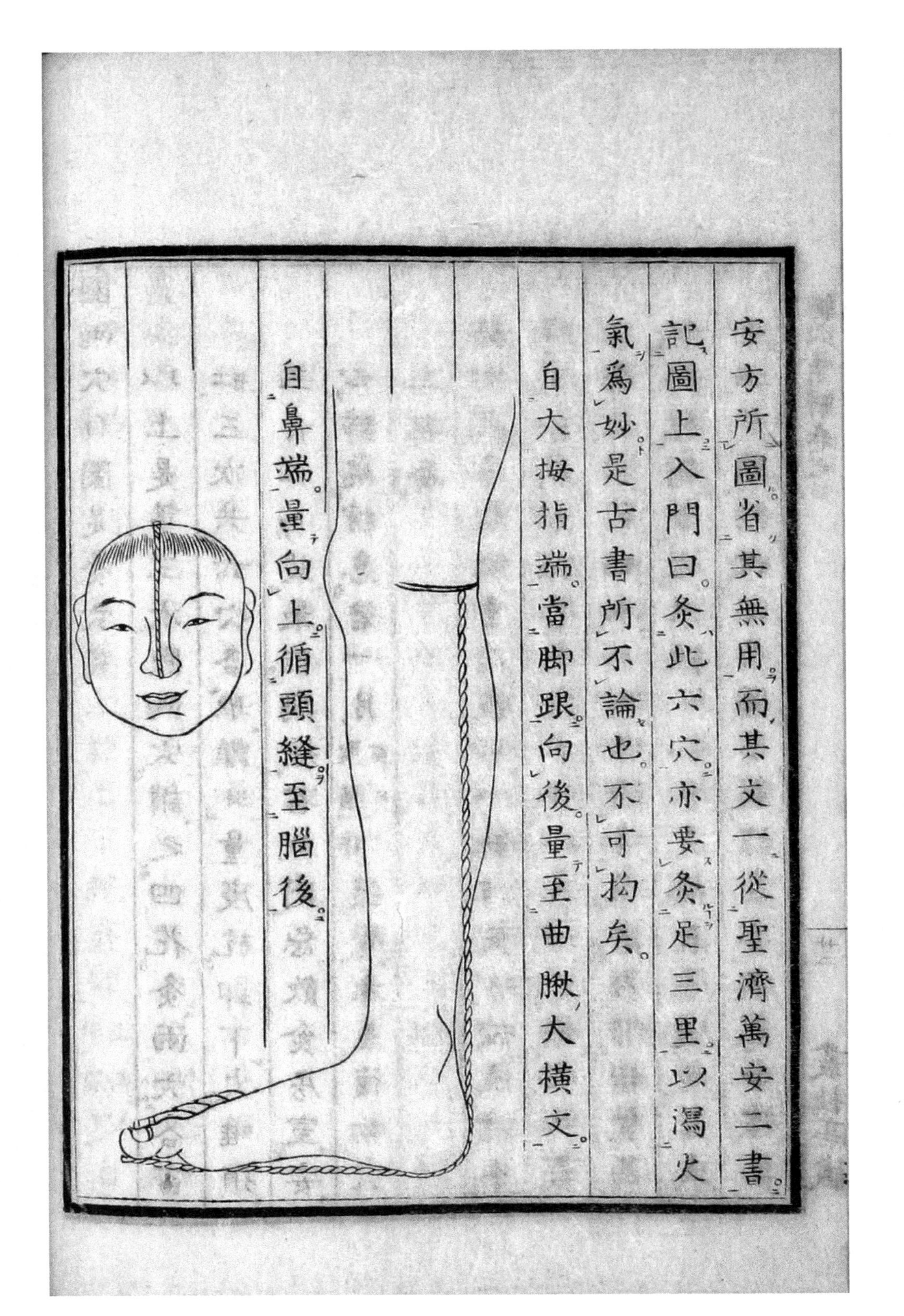
安方所圖省其無用而其文一從聖濟萬安二書記圖上入門曰灸此六穴亦要灸足三里以瀉火氣爲妙是古書所不論也不可拘矣

自大拇指端當脚跟向後量至曲瞅大横文

自鼻端量向上循頭縫至腦後

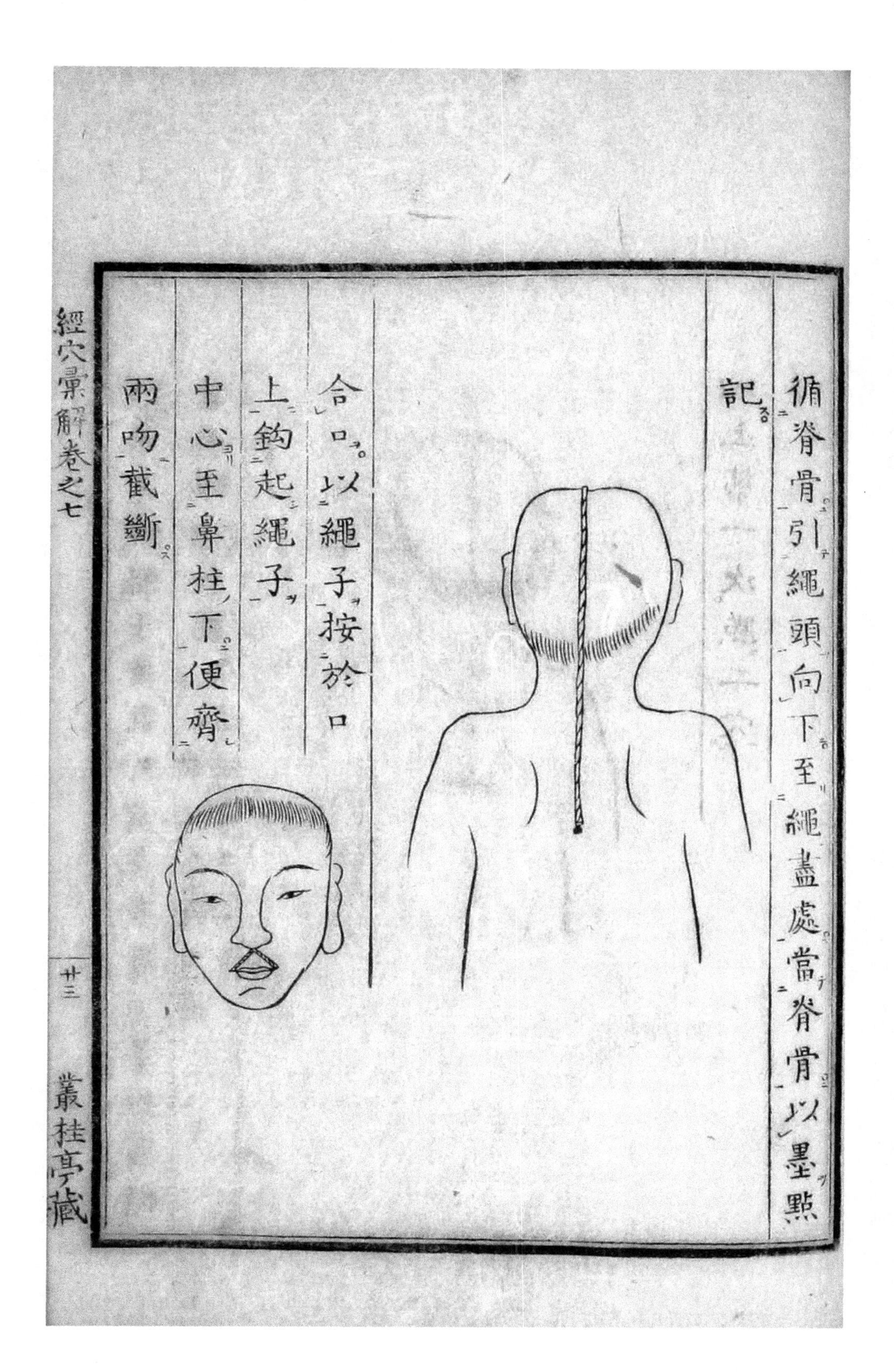
循脊骨引繩頭向下至繩盡處當脊骨以墨點記
合口以繩子按於口上鈎起繩子中心至鼻柱下便齊兩吻截斷
經穴彙解卷之七
廿三
叢桂亭藏

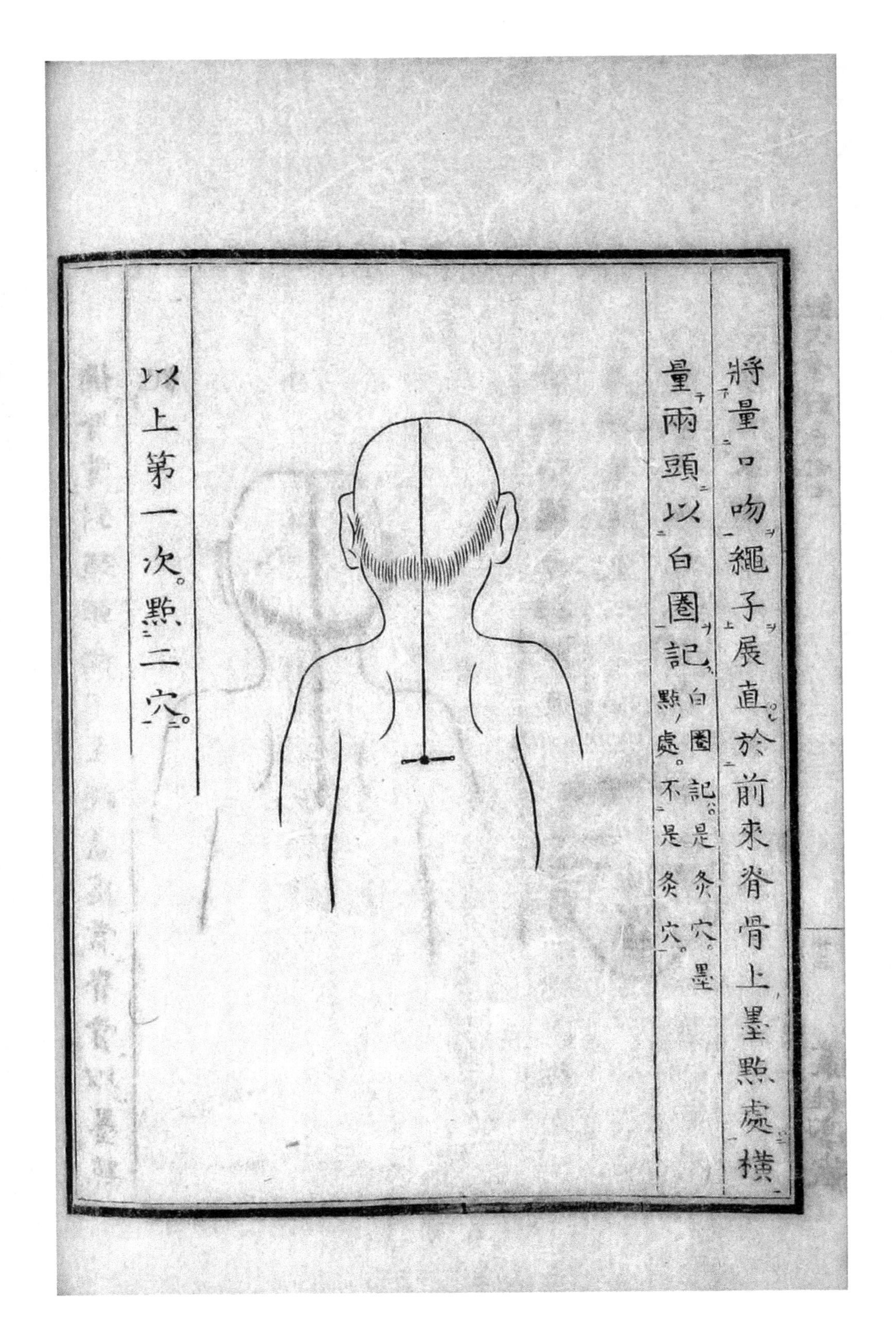

将量口吻繩子展直於前來脊骨上墨點處横量兩頭以白圈記白圈記是灸穴。墨點處。不是灸穴。

以上第一次。點二穴。

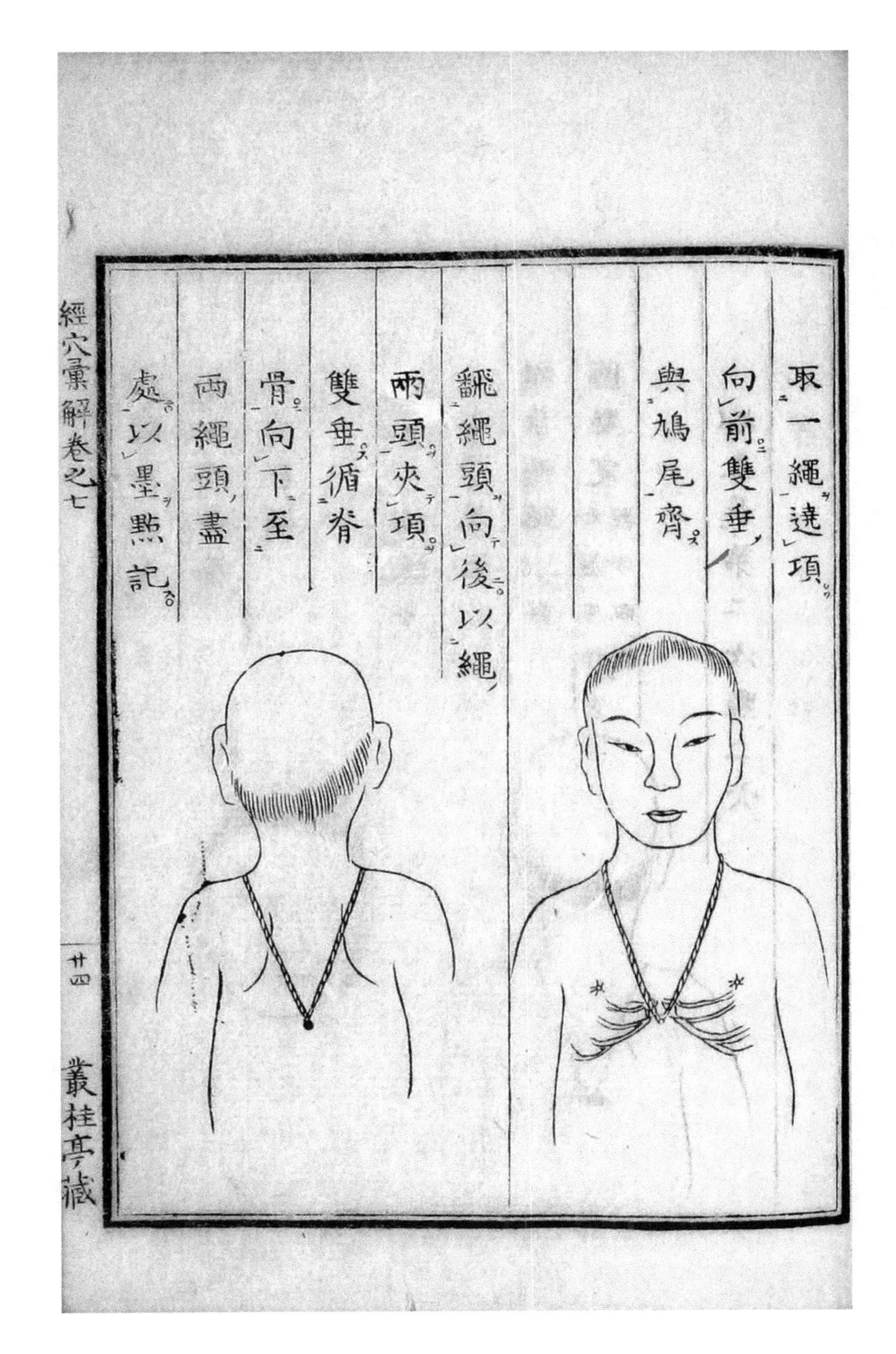

取一繩遶項、向前雙垂、與鳩尾齊。

飜繩頭向後、以繩兩頭夾項、雙垂循脊骨、向下至兩繩頭盡處、以墨點記。

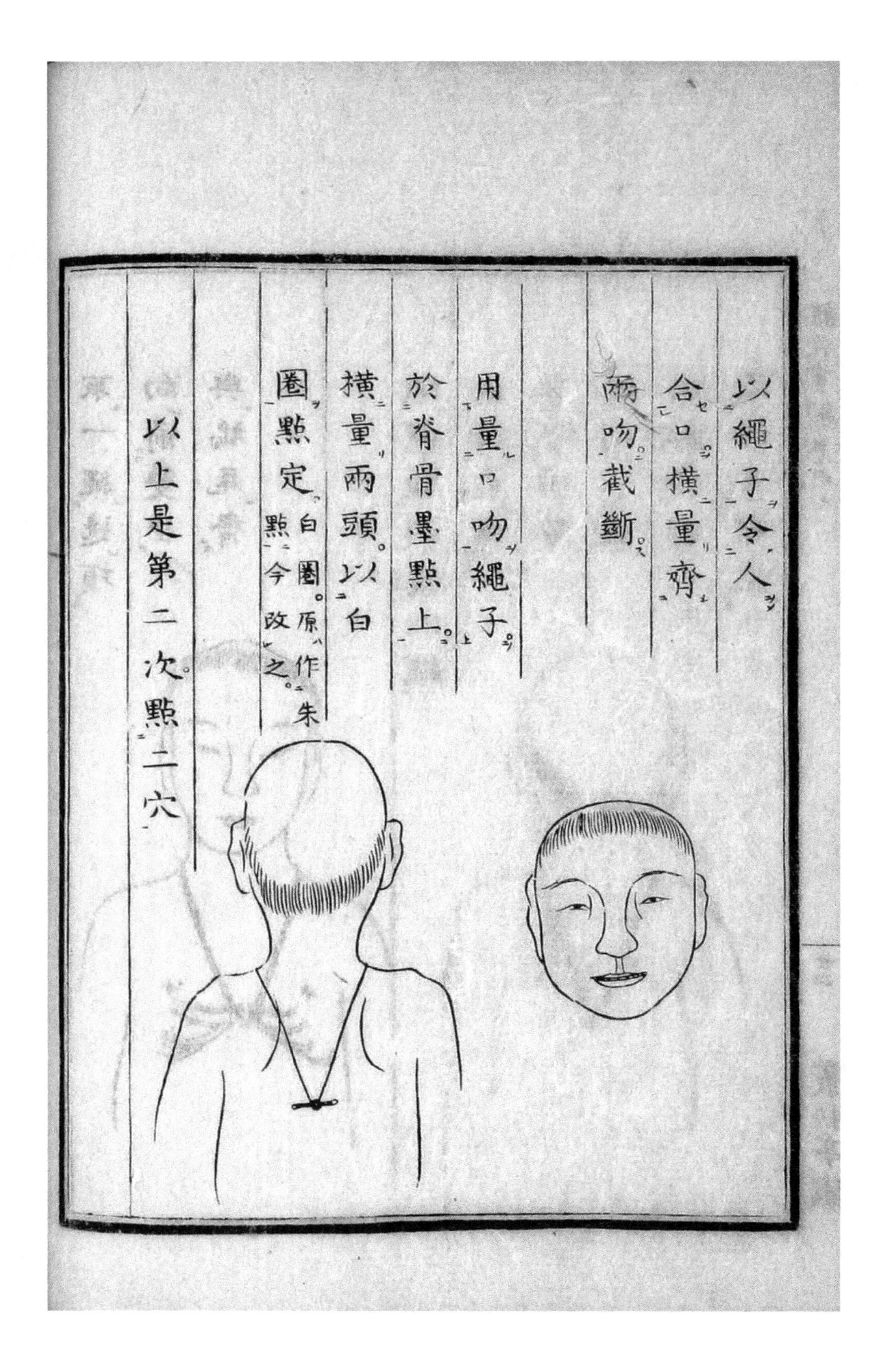

以縄子令人合口横量齊兩吻截斷

用量口吻縄子於脊骨墨點上横量兩頭以白圈點定。白圈原作朱點今改之。

以上是第二次點二穴

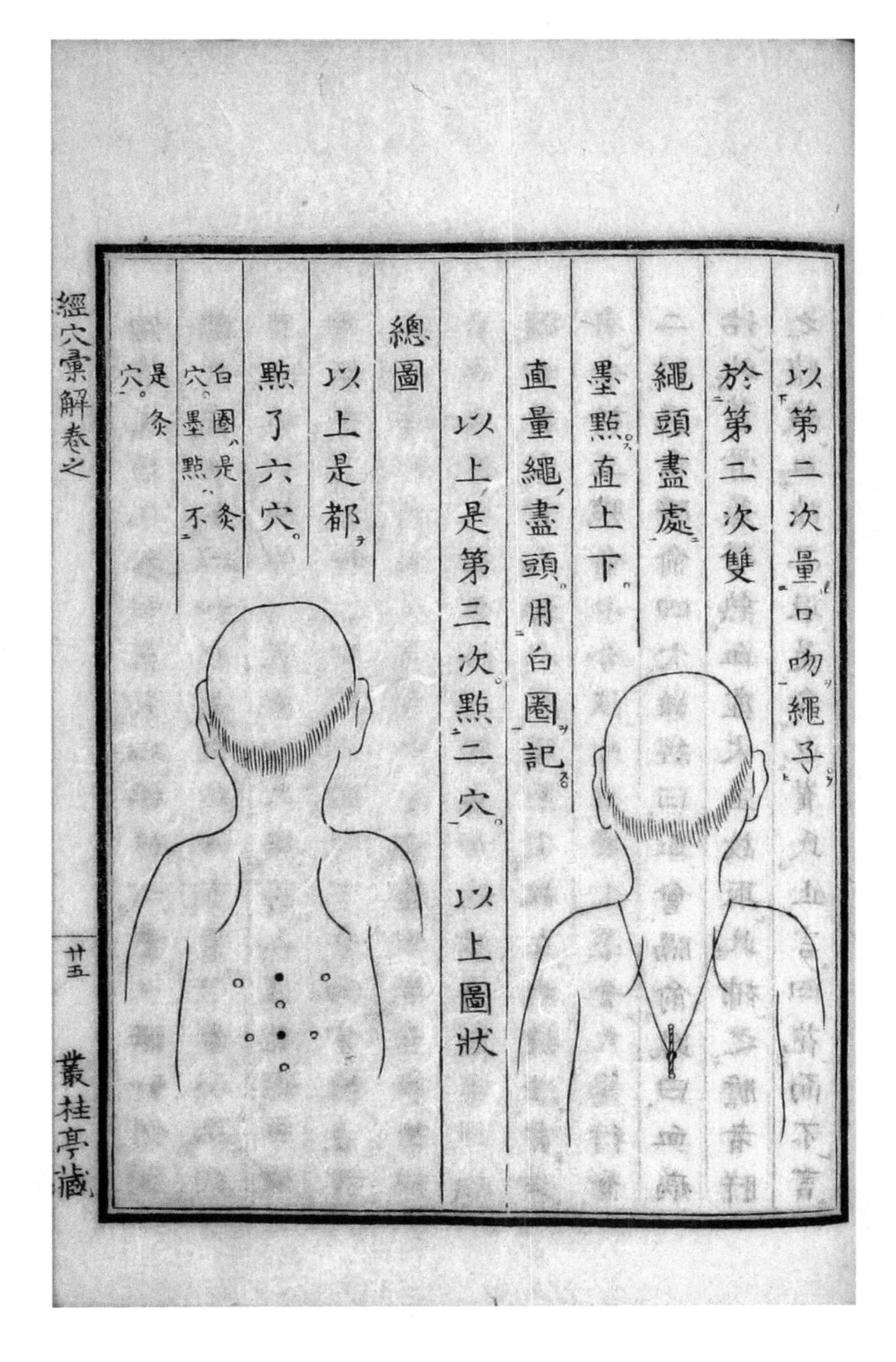

以第二次量口吻繩子
於第二次雙
繩頭盡處
墨點直上下
直量繩盡頭用白圈記
以上是第三次點二穴　以上圖狀

總圖
以上是都
點了六穴
白圈是灸穴墨點不是灸穴

經穴彙解卷之　廿五　叢桂亭藏

按資生曰。凡取四花穴以稻稈心量口縫如何闊斷其長多少。以如此長裁紙四方。當中剪小孔。別用長稻稈踏脚下。前取脚大指爲止。後取脚曲瞅橫文中爲止。斷了却環在結喉下垂向背後。看稈止處。即以前小孔紙當中安分爲四花。蓋灸紙四角也。今按此法世俗所謂畧四花。鍼灸聚英曰。初疑四花穴。古人恐人不識點穴。故立此捷法。當必有合於五臟俞也。今依此法點穴果合大陽行背二行。膈俞膽俞四穴。難經曰。血會膈俞。疏曰。血病治此。蓋骨蒸勞熱。血虛火王。故取此補之。膽者肝之腑。藏血。故亦取是俞也。崔氏止言四花而不言膈俞膽俞四穴者爲粗工告也今只依揣摸脊骨膈俞膽俞爲正然人口有大小闊狹不同故四花亦不準。更按高武說崔氏四花而不據其法漫爲膈膽二俞學者思諸。又資生曰。一醫傳一法先横量口吻取長短以所量草就背上三椎骨下直量至草盡處兩頭用筆點了。再量中指長短爲準却將量中指草横直量兩頭用筆圈四角其圈者是穴。是又畧法不可從。

經門四花　入門曰。卽崔氏四花穴。不灸背上二穴。各開兩傍共成六穴上二穴共闊壹寸下四花相等。俱弔線比之以離卦變作坤卦降心火生脾土之意也。然此皆陽虚所宜。華佗云。風虚冷熱。惟有虚者。不宜灸。但方書又云。虚損癆瘵。只宜早灸膏肓四花。乃虚損未成之際。如瘦弱兼火。雖灸亦只宜灸内關三里。以散其痰火。早年欲作陰火。不宜灸論而未果。

騎竹馬灸法　用薄篾量患人手。上尺澤穴横紋比起。循肉至中指尖止。截斷。外用竹杠一條。以竹杠兩頭。置凳上。令患人去衣騎竹杠。以足微點地。以先比篾安杠上。竪篾循背直上。篾盡處以墨點記。只是取中非灸穴。更以薄篾量手中指節。兩横紋爲壹寸。將篾於所點墨上。兩傍各量壹寸是穴。各

灸五壯。或七壯。止不可多灸此法灸之無不愈者

蓋此二穴心脈所過凡癰疽之疾皆心氣留滯故

生此毒灸此則心脈流通卽時安愈可以起死回

生有非常効。神應

按類經曰。一本作各開貳寸。聚英曰。依法量穴在

督脉脊中至陽筋束二穴中外太陽行背二行膈

俞肝俞之內。非正當穴也。疑必後人傳訛以參寸

爲貳寸耳豈有不得正穴徒破好肉而能愈病哉

此不能疑也。阿是要穴曰此穴出諸書未知其始

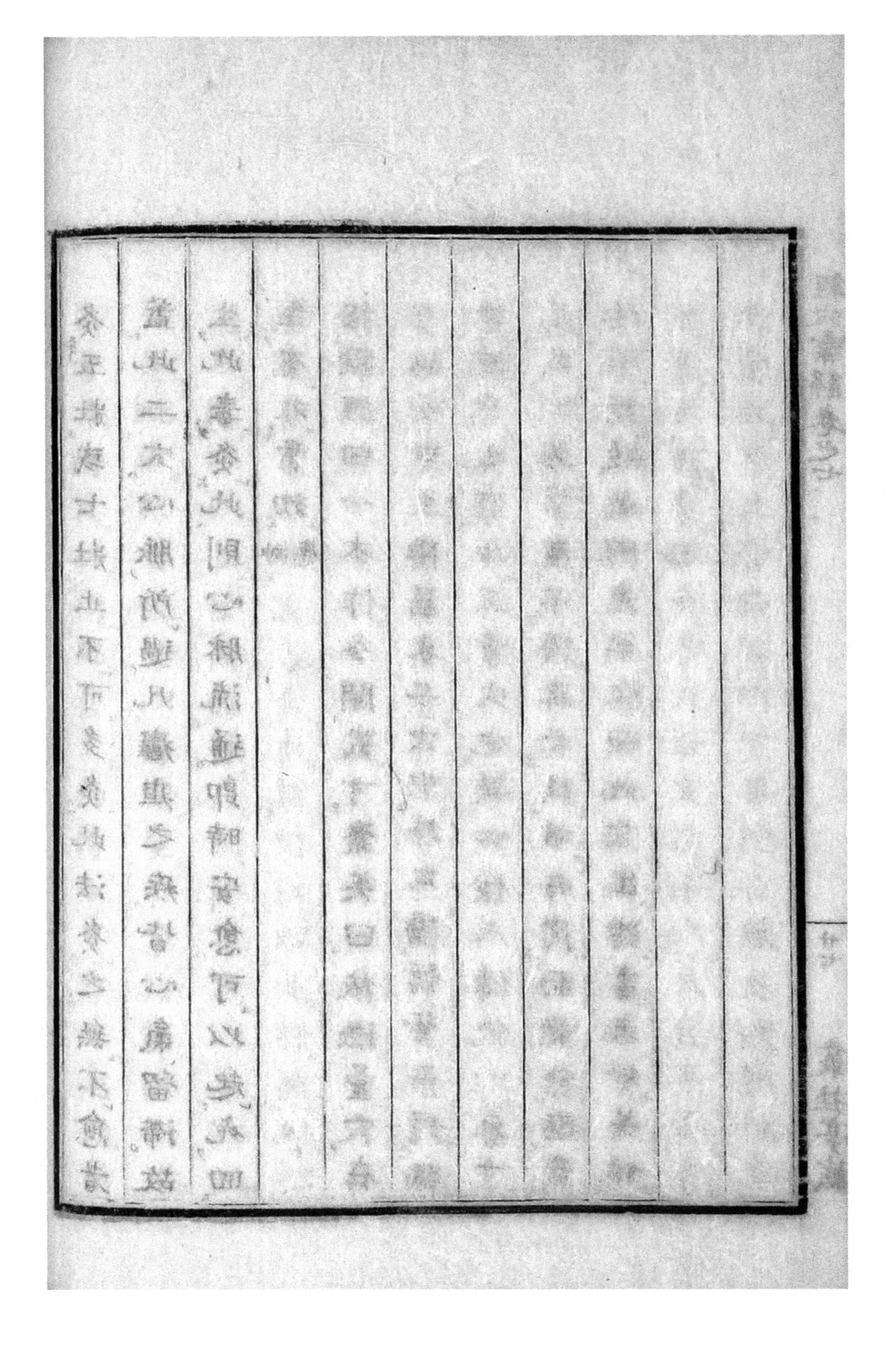

也此毒灸此則心脈流通卽時寧息可以起死回

蓋此二穴心脈所過凡癰疽之病皆心氣留滯故

灸五壯或七壯止不可多灸此法灸之無不愈者

胸腹部第三

氣堂　失欠頰車蹉灸背第伍椎一日二七壯滿三日未瘥灸氣衝二百壯胸前甲骨中是亦名氣堂

千金

按氣堂恐氣衝之誤甲千金翼作寅

通關　中脘傍各伍分主五噫鍼入八分左撚能進飲食右撚能和脾胃此穴一鍼有四効凡下鍼後良久覺脾磨食覺鍼動爲一效次鍼破病根腹中作聲爲二效次覺流入膀胱爲三效又次覺氣流行腰後骨空間爲四效醫綱

龍頷　心痛冷氣上灸龍頷百壯在鳩尾頭上行壹

寸半。不可刺。千金

天瞿傍穴　癭。灸天瞿三百壯。橫三間寸灸之。千金

按天瞿即天突。一名東洋先生曰。按瞿疑當作衢。千金明堂云。天衢在耳上如前參寸。此解不是說見天衢。

胸堂　上氣厥逆。灸胸堂百壯。穴在兩乳間。千金　不刺。千金

按千金曰。吐血唾血。灸胸堂百壯。又出驚癇篇。千金翼。堂作膛。並無穴註。此穴似指膻中。醫學綱目以爲膻中。然千金既言灸膻中。次灸胸堂。則非膻中。

痊市一切痊無新久先仰臥灸兩乳邊邪下參寸。第三肋間隨年壯。可至三百壯。又治諸氣神良。一名痊市千金

按痊。千金翼。作注。與旁廷同名。其處不遠。

石關在心下貳寸。兩傍各伍寸。灸五十壯。主產後兩脇痛。不可忍衛生寶鑑

按與腹部石關同名異穴。

轉穀在傍二骨間陷者中。主胸脇支滿。不欲食。穀入穀不化。嘔吐復出。舉腋取之外臺

按此穴。在後腋條後。在傍。蓋指後腋歟。似有脫字。後腋見背部。外臺。以後腋。飲郄。應突。脇堂。旁廷。始

素。七穴。入足少陽經。今移入于奇穴。

飲郄　食門下壹寸。骨間陷者中。主腹滿臚腫痛。引臍傍腹鳴濯濯若中有水聲。仰腹取之。外臺

按食門未知何處。蓋指轉穀歟。

應突　飲郄下壹寸。主飲食不入。腹中滿。大便不得節。腹鳴泄注。仰腹取之。外臺

脇堂　腋陰下二骨陷者中。主胸脇支滿。臚脹賁豘。噫噦喘逆。瞻視目黄。舉腋取之。外臺　忌鍼。千翼

按東洋先生曰。瞻疑當作膽。千金翼曰。吐血唾血。灸脇堂百壯。資生曰。在腋下引明堂下經。居髎下。載此穴。大全曰。居髎合取八寸三。脇堂二骨門腋。

下。而出然曰。牢門不與此同。大凡與水道。相四

按。聞腋蓋指章門淵腋。而不的。是作歌括之弊也。

旁廷一名注市。腋下四肋。間高下正。與乳相當。乳

後貳寸陷中。俗名注市。舉腋取之。刺入五分。灸五

十壯。主卒中惡。尸遁尸注。胸脇滿。千金脇堂下二

骨間陷者中。舉腋取之。外臺

按。廷外臺作庭。與前條疰市同名。其處亦不遠。

始素腋脇下廉。下貳寸。骨陷者中。主脇下支滿。腰

痛引腹。筋攣陰氣上縮。舉臂取之。外臺

九曲中府。旁廷注市。下參寸。千金刺入五分。灸三十

壯。主惡風邪氣。遁尸內有瘀血。千金

帝門 脾胃之間。名曰帝門。在季肋下前壹寸半。脈經

按類經所載九門。無此穴。

腋門 一名大陽陰。一名腋間。腋下攢毛中壹寸。灸五十壯。主風。千金

按手少陽液門。易混。又與大巨同名異穴。千金淵腋穴下註。引中風篇曰。腋門在腋下攢毛中。一名泉液。即淵腋是也。今本無此文。

氣門 婦人絶嗣不生。灸氣門穴。在關元傍參寸。各百壯。千金

按類經。載九門。曰。氣門。溲溺之門。居前陰。中由氣化而出。故曰氣門。不與此同。大抵與水道相似。

辟息千金見乳根下

神府心痛暴絞急絕欲死灸神府百壯在鳩尾正

心有忌千金

按千金翼作附鳩尾正當心

盲募結氣囊裏鍼藥所不及灸盲募隨年壯盲募

二穴從乳頭邪度至臍中屈去半從乳下行度頭

是穴千金

按千金翼邪作斜行下有盡字盲一本作胃非也

乳上以繩橫度口以度從乳上行灸度頭千翼

按千金治卒癲灸兩乳頭三壯又曰小兒暴癇灸

兩乳頭女兒灸乳下貳分又幼科準繩曰小兒喘

脹。俗謂馬脾風。又謂之風喉者。以草莖病兒手中指裏。近掌紋至中指尖截斷。如此二莖。自乳上微斜直立兩莖。於稍盡頭橫一莖。兩頭盡頭點穴。灸三壯。此法多曾見愈。

通谷　心痛惡氣。上脇急痛。灸通谷五十壯。在乳下貳寸。千金

按與腹部二行通谷。同名異穴。

魂舍　小腸泄痢膿血。灸魂舍一百壯。小兒減之。穴在俠臍兩邊。相去各壹寸。千金

按千金翼無各字。天樞云魂魄之舍。不可下鍼。蓋天樞之異名。分寸稍差。大抵似肓俞穴。暫俟再考。

肋頭　第一屈肋頭。延第二肋下。即是灸處。第二肋頭。延第三肋下。向肉翅前。亦是灸處。千翼

肋罅　以繩量病人兩乳間。中屈之。又從乳頭向外量。使當肋罅。於繩頭灸。隨年壯。千翼

長谷　一名循際。泄痢。不嗜食。雖食不消。灸長谷五十壯。三報。穴在俠臍相去伍寸。千金

按千金天樞註。以長谷為天樞一名。說已見千金翼曰。多汗。四支不舉。少力。灸長平五十壯。在俠臍相去伍寸。不鍼。按長平章門一名。而此穴似章門。說見章門。醫學綱目。作循元。

腋下　噫噦。膈中氣閉塞。灸腋下聚毛下。附肋宛宛

中五十壯。千金

按千金又云。一切瘰癧。灸患人背兩邊腋下後文上。隨年壯。千金翼曰。灸瘻法。垂兩手兩腋上文頭。各灸三百壯。鍼亦良。千金又曰。一切瘰癧。灸兩胯裏。患癧處宛宛中。日一壯。七日止。神驗。兩胯外臺。作兩腋。

直骨　灸遠年咳嗽不愈者。將本人乳下大約離一指頭。看其低陷之處。與乳直對。不偏者。此名爲直骨穴。如婦人。即按其乳頭直向下。看其乳頭所到之處。即是直骨穴之地位。灸艾三炷。其艾只可如赤豆大。男灸左。女灸右。不可差錯。其嗽即愈。如不

愈則其病再不可治矣。壽世保元。葉竹堂簡便方同

按乳根也。

乳下小兒癖。灸兩乳下壹寸。各三壯千金

按灸乳下者多。其穴處又小異。並錄于此。千金曰。治反胃。灸兩乳下各壹寸。以瘥爲度。又灸乾嘔三十壯。又灸五尸。隨病左右。多其壯數。灸辛吐逆七壯。又嗽。灸兩乳下黑白際各百壯。又轉筋四厥。灸兩乳根黑白際各一壯。又曰。小兒溫瘧。灸兩乳下一指。三壯。又婦女人月經不嘗來。服黃芩牡丹湯後。灸乳下壹寸黑員際各五十壯。千金翼曰。一切惡注。氣急不得息。欲絕者。及積年不差者。男左手

虎口文。於左乳頭並四指當小指節下間灸之。婦人以右手也。活人書問咳逆曰。若服藥不差者。灸之。必愈。其法婦人屈乳頭向下盡處骨間灸三壯。丈夫及乳小者。以一指為率正以男左女右艾炷如小豆許。與乳相直間陷中動脈處是。資生云。灸咳逆法。乳下一指許。正與乳相直骨間陷中。

中胞門 大倉左右參寸。脉經關元左邊貳寸是也右貳寸名子户千金

按脉經。胞又作胞。

子户 關元穴傍右貳寸。金鑑

按胞門子户者。氣穴之別名。詳于第三卷中。

子宮　中極兩傍。各開參寸。大成

按醫經小學曰。治婦淋關元兩傍。各開參寸半。濟世良方云。子宮虛冷。不能成孕。灸子宮三穴。各七壯。揣心坎中高骨。以墨記之。用草心一條。從墨記至胸中折斷。指作七分。以四分量臍上。灸之補血三分。量臍中灸之補氣。仍以臍下三分折半。正子宮穴。灸之溫煖精氣。受孕之所。有神効。

錢孔　度乳至臍中。屈肋頭骨是。灸百壯。治黃疸。千金

臍四邊穴　治小兒暴癇者。身軀正直。如死人。及腹中雷鳴。灸大倉及臍中上下兩傍。各壹寸。凡六處。千金又治小兒卒腹皮青黑。灸臍上下左右。去臍半

寸。並鳩尾骨下壹寸。凡五處。各三壯。同上

臍上下小兒顖陷。灸臍上下。各半寸。千金又療黄疸。

當灸臍上下兩邊。各壹寸半。一百壯。外臺引崔氏。

鳩尾骨穴　小兒顖陷。灸臍上下及鳩尾骨端。各一

壯。千金漏。灸鳩尾骨下宛宛中。七十壯。同上又少年房

多短氣。灸鳩尾頭。五十壯。同上

按醫學綱目引田氏云。胸下骨尖上。灸三壯。主小

兒疳瘦。

身交胞落頹。灸身交。五十壯。三報之。臍下横文中。

千金翼

遺道　遺溺。灸遺道。俠玉泉。伍寸。千金

按千金翼。作遺尿鍼遺道。入二寸。補之。灸隨年壯。

腸遺　俠玉泉相去各貳寸。千金

按寶鑑。作腸遶千金翼作貳寸半。類經從之。

玉泉　男陰卵大癩病。灸玉泉百壯。報之。穴在屈骨下陰。以其處卑。多不灸之。及泉陰穴。亦在其外。千金

腰痛小便不利。若胞轉灸玉泉七壯。穴在關元下壹寸。大人從心下度取捌寸。是玉泉穴。小兒斟酌以取之。同上

按玉泉。與中極。同名異穴。

泉門　婦人絶嗣不生。漏赤白。灸泉門十壯。三報。穴在橫骨當陰上際。千金

按千金翼作漏下。

泉陰　陰卯偏大。癩病。灸泉陰百壯。三報。在横骨邊千金

按邊字上當有兩字。千金翼邊下有參寸二字。千金又曰。癩病。灸横骨兩邊二七壯。俠莖是。蓋指此穴。類經邊作旁。

尿胞　一名屈骨端。千金見曲骨下。

金門千金　見會陰下。

按與四肢部金門同名異穴。

羊矢　氣衝外壹寸。入門會陰旁參寸。股內横文中。按皮肉間有核如羊矢。類經

按入門。入足厥陰經。

蘭門・曲泉兩傍各參寸。大全歸來下。莖根毛內。傍伍寸。小學毛際玉莖傍。開貳寸。鍼入貳寸半。主治木腎紅腫如升大不痛。醫綱

按寶鑑曰。蘭門在玉莖傍貳寸。治疝氣衝心欲絕。

男陰縫一名鬼藏。披陰反向上灸。治馬黃黄疸等病。若女人。玉門十三鬼穴。並千金翼。有頭字。是穴男女鍼灸無在。千金

按千金風癲篇。灸陰囊縫三十壯。令人立以筆正注當下已卧。核卵上灸之。勿令近前中卵核。恐害陽氣也。又十三鬼穴。陰下縫。風癲篇囊下縫。卽是

醫學綱目曰。小兒偏墜。若非胎中所有在後生者於莖中腎囊前。中間弦子上。灸七壯。立愈。此法相似在囊前縫上

闌門　玉莖傍貳寸。鍼入二寸半。灸二七壯。主治疝氣衝心欲死。醫綱

鬼門　牛鈎。弄舌撮口。灸鬼門穴。在乳下一麥粒。七壯。幼幼新書

按與十三鬼穴鬼門。同名異穴。

氣衝　一名氣中。醫綱　氣衝在氣海傍各壹寸半。鍼入二寸半。灸五十壯。主治腹痛腸鳴。又名氣中。主治婦人血溺氣喘。醫綱

按與胃經氣衝同名異穴。千金曰失欠頰車蹉灸背第五椎一日二七壯滿三日不差灸氣衝二百壯胸前喉下甲骨中是亦名氣堂此氣衝亦是異穴說既見。

水分　在水分傍各壹寸半鍼二寸半灸五十壯主治單蠱脹氣喘醫綱

食倉　食關治脾胃在中脘傍寸半位小學

血門　血門中脘傍參寸小學

神庭　在龜尾註曰一作鳩尾下伍分脉經

水道　三焦膀胱腎中熱氣灸水道隨年壯穴在俠屈骨相去伍寸千金屈骨在臍下伍寸屈骨端水道

俠兩傍各貳寸半。千翼

按屈骨橫骨之一名。說既見水道與腹部三行水道。同名異穴。宜合考。

囊底　一名海底醫綱　陰囊十字紋中。大成

按千金曰。若眼反口噤。腹中切痛。灸陰囊下第一橫理十四壯。灸卒死。亦良。蓋此穴綱目有效良方等。皆云。治陰中濕痒。外腎生瘡。小腸疝氣。小兒疝卵偏重。

龍門　婦人胞落頹。灸龍門二十壯。三報。在玉泉下。女人入陰內外之際。此穴畀。今廢不針灸。千金　陰中上外際。千翼按玉泉見上。非中極之一名。千金曰。婦人遺尿不知出時。灸橫骨當陰門七壯。

陰莖　卒癩。灸陰莖上宛宛中三壯。得小便通即瘥。千金 治卒癩。牽陰頭正上灸莖頭所極。又牽下向穀道。又灸所極。又牽向左右髀直行。灸莖所極。同上 當尿孔上是穴。千翼 又灸陰莖頭三壯。千金

按千金又曰。凡男癩。當騎碓軸。以莖伸置軸上。齊陰莖頭前。灸軸木上。隨年壯。此他灸法多多不襍錄。

沖門　去大橫伍寸。在府舍下。橫骨端。約中動脈。外科大成

水户醫官篠本恭　子寬

門人

水户　岡　善　淵夫

水户　石井潤　子德

水户　木内成文　叔斐

同校

經穴彙解卷之七

經穴彙解

卷之八

奇穴部

門 杉武9
號 491
卷 8止

經穴彙解卷之八目次

奇穴部第十二

四支第四

神授　手心

交脈　高骨

金門　劍巨

肘尖　衝陽

硯子骨　天心

横文　版門

靠山　威靈

一扇門　二扇門

精靈　二人上馬

外勞宫　一窩風

鬼城　十宣　十指頭

膝眼四穴 膝目 鬼眼　關儀

營池四穴 陰陽　陰陽

環谷　風市

膝下　膝外

女膝 丈母 女婿 女須　巨陽

足太陽 鬼路　腎系

華佗　足大指節橫理

承命　少陽維

大陰蹻　大陰

厥陰　八風八穴

氣端　八衝

胡脈　肋户

食門　曲尺

扁鵲十三鬼穴　脚氣八處灸穴

經穴彙解卷之八

水户侍醫南陽原昌克子柔編輯

奇穴部第十二

四支第四

臍石子頭　還取病人手自捉臂從腕中大澤文向上一夫接白肉際灸七壯治馬黄黄疸等病千金

按臍千金翼作臂澤作淵是也

河口　腕後陷中動脉千金

按千金翼作手腕後陷中動脉此與陽明同類經曰按此當是手陽明陽谿之次千金曰心痛灸臂腕横文三七壯又曰治丁瘡掌後横文後五指男

左女右七壯。即瘥。已用得効。丁腫灸法雖多。然此一法甚驗。出意表也。此二處亦似河口。

地神　治自縊死。灸四肢大節陷。大指本文。名曰地神。灸七壯。千金

虎口　心痛。灸兩虎口。白肉際七壯。千金

按千金翼曰。治煩熱頭疼。刺虎口。

飛虎　即童門穴也。又云。是支溝穴。以手於虎口一飛中指。書處是穴也。大全

按此穴。闕其詳。詳于支溝條。

大骨空　手大指第二節。前尖上。屈指當骨節中灸二七壯。主治內障久痛。及吐瀉。類經中節上。屈指當

骨尖陷中。成大禁鍼。經類

按醫學綱目灸九壯。以口吹火滅。千金翼曰。脾風占候。言聲不出。或手上下。灸手十指頭。次灸人中大椎兩耳門前脉。去耳門上下行壹寸。次兩大指節上下六穴。各七壯。

小骨空　手小指二節尖上。大全

按玉龍賦曰。治眼爛。能止冷淚。醫學綱目曰。灸七壯。亦吹火滅。千金翼曰。喉痺。針兩手小指爪文中。出血三大豆許。即愈。左刺左。右刺右。此處相近。

拳尖　中指本節前骨尖上。握拳取之。經類

按千金曰。風瞖。患右目。灸右手中指本節頭骨上。

五壯。如小麥大。左手亦如之。千金翼曰。牙疼。灸兩手中指背第一節前有陷處七壯。下火立愈。

中魁 手中指第二節前骨尖上。屈指得之。又曰在手腕中上側兩筋間陷中。灸二七壯。蓋此以陽谿言也。觀者辨之。主治五膈。五噎。類經 宛宛中。金鑑

按千金翼曰。牙齒疼。灸兩手中指背第一節前有陷處。七壯。下火立愈。大成曰。治五噎反胃吐食。可灸七壯。宜瀉之。又陽谿二穴。亦名中魁。

中泉 手腕外間陽池陽谿中間陷中。類經

五虎四穴 手食指無名指背間。本節前骨尖上。各一穴。握拳取之。類經

按奇效良方曰手食指及無名指第二節骨尖握拳得之治五指拘攣可灸五壯

二白四穴　掌後横紋上肆寸手厥陰脉兩穴相並一穴在兩筋中一穴在大筋外針三分瀉兩吸主治痔漏下血裏急後重或痒或疼醫綱即郄門也在掌後横紋中直上肆寸一手有二穴一穴在筋内兩筋間即間使後壹寸一穴在筋内與筋内之穴相並大成

四關四穴　即兩合谷兩大衝是也大成

按關呉文炳作開奇效良方大衝作行間

龍玄　側腕交义脉神應兩手側腕义紫脉上大成

按醫學綱目。作在列缺上青脉中灸之主治下牙疳

龍虎　側腕紫脉中。小學

按醫經小學曰龍虎側腕紫脈中。滿口牙疼灸七壯。恐是龍玄。然不可攷。暫記

四縫四穴　手四指内中節是穴用三稜鍼出血治小兒猢猻勞等証。大成

神授　牙癰。灸神授二七壯。隨人大指上直去骨罅二處起用患人手一跨。癰疽神秘灸經

手心　犬癇之爲病。手足拳攣。灸兩手心一壯。千金

黄　手心中七壯。千金翼　療卒死令人痛爪其人人中取

醒不起者。捲其手灸下文頭隨年壯。外臺

交脉　卒中風。灸手交脉三壯。左灸右。右灸左。其炷如鼠屎形。横安之。兩頭下火。千金　短氣不得語。灸小指第四指間交脉上七壯。同上　齒疼。灸外踝上高骨前交脉上七壯。千翼

高骨　掌後寸部前伍分。針一寸。灸七壯。治手病。大成

金門　瘰癧之發於項後耳之間。累累如貫珠者。是也。法當灸金門二壯。掌後參寸半是穴。外科大成

劍巨　馬刀之發在耳後。侵入髮際。微腫堅硬如石。甚者。引項痛也。當灸劍巨二七壯。在掌後參寸。外科大成

肘尖

忤注。灸手肘尖。隨年壯。千翼治瘰癧。左患灸右右患灸左。如初生時。男左女右。灸風池。入門肘骨尖上。屈肘得之。大成肘尖端處。金鑑

按千金腸癰篇曰。屈兩肘正灸肘頭銳骨各百壯。下膿血即瘥。千金翼曰。灸手肘尖。註曰。一作文外科大成曰。取穴令患者端坐。叉手平胸肘後突出尖骨是。灼艾人須立於患人後。因穴在後面內側小尖骨尖。以指按之。患處酸麻者是真穴。此乃大肘尖之傍。小肘尖。仰手與小指對直者是也。按此骨尖。小指即麻爲驗。此穴與肩尖穴。多不取。不真。惟此取法最確。故重表而出之。宜珍之。勿忽。今按

恐是少海穴。

衝陽　肘外屈橫文外頭。翼

按千金翼註曰。是曲池穴。衝陽在足趺上伍寸外臺同。外科全書曰。足八邪。足左右五指岐骨間。各有四穴。其衝陽穴亦可刺。在足背對中指近曲處。左右亦同。蓋同名異穴也。千金曰。狂走刺人或欲自死罵詈不息。稱神鬼語。灸兩肘內屈中五壯。又治五尸。灸手肘文隨年壯。千金翼曰。呀嗽。灸兩屈肘裏大橫文下頭。隨年壯。又丁腫。在左灸左臂曲肘文前。取病人三指外。於臂上處中灸之兩筋間。從不痛至痛。腫在右從右灸。不過三四日瘥。此他

散見諸篇主治部中詳之

硯子骨　踠豆瘡。灸兩手腕硯子骨尖上三壯。男左女右。千金○頭註曰。硯。明拔。作晛。硯子骨。未詳何處。硯。千金翼。作研。無異義。

天心　乾捌寸許。秘旨

按文不解。所圖在勞宮內傍。

橫文　掌盡處橫文。掐至中指尖主吐。秘旨

按千金曰灸掌後橫紋後五指。男左女右。七壯。即瘥。已用得效。丁腫灸法雖多。然此一法甚驗。出於意表也。

版門　大指節下五分。治氣促氣攻。版門推向橫文主吐。橫門。門疑是紋字。推向版門主瀉。秘旨

靠山　大指下掌根盡處腕中能治瘧疾痰壅秘旨

按婉當作腕千金翼曰轉筋在兩臂及胸中灸手掌白肉際七壯

威靈　虎口下兩傍岐有圓骨處遇卒死症揉掐即醒有聲則生無聲則死秘旨

一扇門　二扇門　中指兩傍夾界下半寸是穴治熱不退汗不來掐此即汗如雨不宜太多秘旨

精靈　四指五指夾界下半寸治痰壅氣促氣攻秘旨

二人上馬　小指下裏側對兑邊是穴治小便赤澁清補腎水秘旨

按千金曰短氣不得語灸小指第四指間交脉上

七壯。

外勞宮 指下。正對掌心。是穴。治糞白不變。五谷不消。肚腹泄瀉。秘旨

一窩風 掌背根盡處。婉中。治肛痛極效。急漫驚風。

又一窩風。掐至中指尖。主瀉。秘旨

按婉。當作腕。

鬼城千金一名十宣良方邪病大喚罵詈走。灸十指端去爪壹分。千金在手十指頭上去爪甲角壹分。每一指各一穴。兩手共十穴。故名十宣。治乳蛾用三稜針出血則効。良方

按千金曰。治卒忤死。灸十指爪下各三壯。蓋同處。

十宣大成。良方等所説。乃鬼城也。今移入一名。十指頭短氣不語。灸手十指頭合十壯。千金脾風占候。聲不出。或上下。手當灸手十指頭。同上

按。合。外臺。作各。是也。

手足陽明 千金

手足十指頭　手足陽明。謂人四指。凡小兒風病。大動手足掣瘲者。盡灸手足十指端。又灸本節後。千金

按。外臺。引備急方云。療卒死而張目反折者。灸手足兩爪甲後。各十四壯。

手大指節理　灸黃法。屈大指節理。各七壯。千翼

按。外臺。引肘后云。卒心腹煩滿。灸兩手大拇指內

邊爪後第一文頭各一壯。又千金曰。脾風占候聲不出。或上下手灸兩大指節上下各七壯。又曰。治目卒生瞖灸大指節橫文三壯。左灸右。右灸左。資生曰。小兒雀目夜不見物灸手大指甲後壹寸內廉橫文頭白肉際各一壯。醫學綱目引摘玄曰。喉痺頷腫如升。水粒不下。手大指背頭節。三稜針刺之出血。以上所說。大低似同處。蓋取奇穴者。無定論。臨機應變。其巧拙各分。蓋古人之治理。不必拘拘。

大拇指頭　五尸。灸兩手大拇指頭。各七壯。針

按千金。又曰。水通身腫。灸兩手大指縫頭七壯。

八邪八穴大成　一名八關。醫綱　在手五指歧骨間。左右各四穴。大成

大都二穴　在手大指次指虎口赤肉際。握拳取之。大成

按、良方曰。治頭風牙疼。類經曰。治虛勞一法。取手掌中大指根稍前肉魚間。近內側大紋半指許。外與手陽明合谷相對處。按之極痠者是穴。此穴同長強各灸七壯。甚妙。更按此穴與大指節理。宜合考。

上都二穴　在手食指中指本節歧骨間。握拳取之。大成

中都二穴　一名液門。在手中指、無名指本節岐骨間。（大成）

按少陽經液門。同名下都一名中渚。亦少陽經之穴名。

下都二穴　在手無名指、小指本節後。岐骨間。一名中渚也。中渚之穴。在液門下五分。兩手八穴。故名八邪。（大成○良方曰。以上三穴。治手臂紅腫。）

按醫學綱目引潔古曰。眼痛睛欲出者。須八關大刺十指出血。即十指縫。今移入八邪之一名五雲抄。又載八關即八邪。刺瘧篇云。諸瘧而（千金作血。）脉不見。刺十指間出（千金作見。）血。血去必已。千金引此文且曰。先視身之赤如小豆者。盡取之。八邪八關之名。古典不載。大成所說主治同良方。

三門一名少骨。手次指本節後。內側陷中。治蜂窩疽。外科大成

鬼眼四穴　手大拇指去爪甲角。如韭葉。兩指並起。用帛縛之。當兩指岐縫中是穴。又二穴。在足大趾。取穴亦如在手者。治五癎等症。當正發時灸之大効。良方

按醫燈續焰曰。足大拇指。離爪甲一韭葉許。名鬼眼穴。金鑑曰。鬼眼在足兩大指內。去爪甲如韭葉許。此二說不說手鬼眼。又有鬼哭穴。其法亦同。蓋

奇穴。隨意命名頗致紛煩。

鬼哭　治鬼魅。狐惑恍惚振禁。以患人兩手大指相並縛定用艾炷於兩甲角。及甲後肉四處騎縫着火灸之則患者哀告我自去爲効。入門

按千金曰。治卒中邪魅恍惚振禁。灸鼻下人中。及兩手足大指爪後甲本。令艾丸半在爪上半在肉上。七壯不止十四壯。炷如雀屎大千金翼曰。野千金無野字。狐魅合手大指急縛大指灸合間二七壯當狐鳴而愈。外臺引備急方曰。卒死而口禁不開者縛兩手大拇指灸兩白肉中二十壯。蓋皆同處。資生。引秦承祖而共無鬼哭之名。

手五㕥　足五㕥

灸手五㕥。次灸手髓孔。次灸手少陽。次灸足五㕥。次灸足髓孔。千金偏風篇。灸猥退風半身不隨。法先灸天窻云云。次手髓孔。腕後尖骨頭宛宛中。次手陽明大指奇後。次脚五㕥。屈兩脚膝腕文。次脚髓孔。足外踝後壹寸。千翼癲狂二三十年者灸天窻云云。次足五㕥。同上

按五㕥髓孔。其法不詳。未見他籍載之

手太陽　手小指端。灸隨年壯。治黄疸。千金苦心下急熱痺。小腸内熱。小便赤黄。刺手太陽治陽在手第

二指本節後壹寸。動脈。千翼鼻中擁塞。針手太陽入

三分。在小指外側後壹寸。白肉際。宛宛中。同上

按第二指者。食指也。凡手十指各有灸刺穴。拳尖。

中魁。大小骨空既舉之綱目。曰主治困睡多無名

指第二節尖灸一壯。屈指取之。千金曰。一切病食

痓。灸手小指頭。隨年壯。男左女右。又曰男癩。灸手

季指端七壯。病在右可灸左。左者灸右之類。不可

枚舉。凡無名稱者。詳載于主治部中。足趾亦同。但

如大拇指頭。十指頭。雖非穴名。舉其一二。使後學

知每指有刺灸之穴而已。

奪命英聚一名惺惺。入門一名蝦蟆。醫綱手膊上側筋骨陷

中。聚英曲澤上壹尺。醫綱禁灸。醫綱
按聚英引劉宗厚曰。暈鍼奪命穴救之男左女右。
取之不回。却再取右女亦然此穴正在手膊上側。
筋骨陷中。蝦蟆兒上自肩至肘正在當中註曰。劉
氏止言奪命穴而不言何經何絡今按此穴分是
肺大腸脉分。而古亦無奪命穴醫學綱目曰在曲
澤上壹尺針入三分。主治氣昏暈東醫寶鑑作目
昏暈入門曰。針暈者。神氣虛也不可起針以針補
之急用袖掩病人口鼻回氣内與熱湯飲之卽甦。
良久再針甚者針手膊上側筋骨陷中卽蝦蟆肉
上惺惺穴。或三里卽甦。若起針壞人。綱目又曰。直

兩乳頭。以䈂量過。當兩臑脈絡上灸之臑絡脉。俗呼為蝦蟆穴也。主治紫白癜風。按奪命。惺惺。蝦蟆。三名。共是同穴。今併名為一項。或傳小兒丹毒治法。其法以口吮臑膊上。久而滿口皆血。甚良。蓋是奪命穴也。

鶴頂　膝蓋骨尖上。灸七壯。主治兩足癱瘓。兩腿無力。醫綱

脚後跟　白肉後際。鍼灸隨便。治馬黃。黄疸。寒暑。諸毒等病。千金

按外臺引救急方。曰。霍亂轉筋。灸足跟後黑白肉交際。當中央。千金曰。腰痛。灸脚跟上橫文中白肉

際。十壯。良。

漏陰　女人。漏下赤白。四肢酸削。灸漏陰。三十壯。穴。在内踝，下伍分。微動脚脉，上。千金

按千金翼。無脚字。

膝眼四穴千金一名膝目。外臺一名鬼眼。金鑑膝頭骨，下。兩傍陷者。宛宛中是。千金膝蓋，下，兩邊。外臺膝前。大全　禁灸。資生

按大全。作膝根。誤。金鑑曰。膝蓋骨，下。胻骨，上陷中。千金。八種，灸法。有膝眼，穴曰脚氣初得脚弱。使速灸之。

關儀　女人陰中痛。引心下及小腹。咬痛。腹中五寒。

灸關儀百壯。穴在膝外邊上壹寸宛宛中是。千金

按五寒恐有訛謬。蓋五臟寒之言歟。

營池四穴 一名陰陽。女人漏下赤白。灸營池四穴。三十壯。穴在內踝前後兩邊池中脉上。千金

按千金翼作池上脉。

陰陽 女人漏下赤白泄注。灸陰陽隨年壯。三報。穴在足拇趾下屈裏表頭白肉際是。千金 横文兩傍乃陰陽二穴。就横文上以兩大指中分望兩傍抹爲分陰陽。治肚腹膨脹泄瀉二便不通臟腑虛憊治。秘旨

按千金翼同。秘旨不言足大指者。蓋遺脱也。

環谷 靈樞

按出于四時氣篇。說見下。

風市 兩髀外。可平倚垂手直掩髀上當中指頭。大筋上捻之自覺好。肘后 可令病人起正身平立。垂兩臂直下舒十指掩着兩髀便點當手中央指頭。髀大筋上是灸之百壯。多亦任人輕者不可減百壯重者乃至一處五六百壯。勿令頓灸三報之。千金 平立垂手當中指頭。髀兩筋間是。外臺 膝上柒寸。外側兩筋間。類經 從環跳下行膝上外廉。金鑑

按四時氣篇曰。徒㾬。先取環谷下參寸。以鈹鍼鍼之。馬蒔曰。按各經無環谷穴。止足少陽膽經有環

跳穴。今曰參寸。意着風市穴。外臺曰黄帝三部鍼灸經。無風市二穴。此處恐是環跳。風市。疑其別名。未詳所出。本事方曰風市。即中犢。在髀骨外。膝上五寸。分肉間陷中。並非。千金曰尿牀。垂兩手。兩髀上。盡指頭上有陷處。灸七壯。是指風市

膝下　姙娠三月。灸膝下壹寸。七壯。千金 轉筋脛骨痛不可忍。灸膝下廉。横筋上。三壯。同上 按千金翼。作屈膝下廉。

膝外　灸瘰癧法。五月五日午時。灸膝外屈脚當文頭。隨年壯。兩處灸。一時下火。不得轉動。千翼

女膝　一名丈母。一名女須。一名女婿。癸辛雜識 足跟後。

同上

按周密癸辛雜識曰。劉漢卿郎中。患牙槽風。久之頷穿。膿血淋漓。醫皆不效。在維陽有丘經歷益都人。妙鍼法。與漢卿鍼委中及女膝穴。是夕膿血即止。旬日後用此法頷骨蛻去。別生新者其後又張師道。亦患此證。復用此法鍼之而愈。殊不可曉。丘嘗治消渴者。以酒酵作湯飲之而愈。皆出於意料之外。委中穴在腿脷中。女膝穴在足後跟俗言夫母腹痛。灸女𦢸脚後跟乃炷而至。此亦女膝是也。然灸經無此穴。又云女須穴

巨陽　腰痛。灸足巨陽七壯。巨陽在外踝下。千金

足太陽　一名鬼路。胞衣不出。刺足太陽入四分在外踝後壹寸。宛宛中。千金 身重腫。坐不欲起。風勞脚疼。灸尺太陽五十壯。鍼入三分。補之。千翼 按巨陽。太陽。共是同義。然不可合以爲一。並存以備後考。千金曰。狂癲鬼語。灸足太陽四十壯。千金翼曰。足太陽。名鬼路。千金十三鬼穴。鬼路。註曰。申脉。足太陽。蓋申脉歟。千金翼尺字。恐足之誤。

腎系　消渴小便數。陰市二處在膝上當伏兔上行參寸。臨膝取之。或三二列。灸相去壹寸。名曰腎系者。註曰。黄帝經云。伏兔下貳寸。千金

華佗　療男子卒疝。陰卵偏大。取患人足大指去爪

甲伍分。内側白肉際。明堂

按千金曰。癰腫。灸兩足大拇指奇中立瘥。又老人

小兒。大便失禁。灸兩脚大指去甲壹寸三壯。又灸

大指奇間。各三壯。程敬通曰。奇間。當是岐間。資生

作岐是也。千金又曰。瘑瘡。灸足大指奇間二七壯。

又大人小兒。癰腫。灸兩足大拇趾奇中立瘥。仍隨

病左右。大抵似華佗穴。

足大指節橫理千金

按詳于大敦。

承命狂邪驚癇病。灸承命三十壯。千金

按穴註。詳于三陰交。

少陽維　內踝後壹寸。動筋中是。外臺

按筋。當作脉。

大陰蹻　內踝下向宛宛中是。外臺

大陰　內踝上壹夫。千金

按此穴。治癲疝名太陰者。一載中都。一載三陰交。又千金翼曰。婦人逆產足出。針足太陰入三分。足入乃出針。穴在內踝後白肉際陷骨宛宛中。又外臺曰。太陰二穴在內踝上捌寸。骨下陷中。是指地機邪。宜與三陰交條併考。外臺又曰。黃帝三部鍼灸經。並銅人腧穴經。並無少陰維。太陰。太陰蹻。三穴名。

厥陰　治卒癩。灸足厥陰。在左灸右。在右灸左。三壯。

在足大趾本節間。千金

按是蓋指大敦穴也。

八風　八穴大成一名八邪。外科全書足五指岐骨間。兩足共八穴。故名八風。

按靈樞曰。五指間各一。凡八痏足亦如是。乃是手八邪。足八風之祖。外科全書曰。足八邪。足左右五指岐骨間。各有四穴。其衝陽穴亦可刺。在足背。對中指近曲處。左右亦同。嘗攷針經。在足。又名八風穴。衝陽穴。既見。宜合考。

氣端　千金

八衝　足十趾去指奇壹分。兩足。凡八穴。曹氏名曰八衝。極下氣有效。其足十趾端名曰氣端。日灸三壯。並大神要其八衝。可日灸七壯。氣下即止。千金

按外臺引蘇恭曰。若脚十指。酸疼悶。漸入趺上者。宜灸指頭正中甲肉際。三炷即愈。千金翼。作足十指奇端去奇一分。

八會　狂走易罵。灸八會。隨年壯。穴在陽明下伍分。千金

獨陰大成　一名獨會。小學　足三指下横文。灸外腎腫。平小學　足趾下横紋中。類經　足第二指下。大成

按大全曰。婦人産難。不能分娩。獨陰。即至陰穴。類

經曰。即至陰穴。當足小指也。未詳孰是皆主治小腸疝氣。心腹痛。乾嘔吐。女人經血不調。死胎胞衣不下。又醫學綱目有獨陰穴。在足四指間。灸三壯。主治月經不調。又醫經小學曰。獨會在足二指下橫紋中間。又治産難。獨陰獨會。蓋同穴也。

内踝尖　足内踝骨尖大成

按千金曰。若筋急不能行者。内踝筋急。灸内踝上。四十壯。外踝筋急。灸外踝上三十壯。立愈。又曰。癥瘕。灸内踝後宛宛中。又諸惡漏中冷息肉。灸足内踝上。

外踝尖　卒淋。灸外踝尖七壯。千金重舌。灸外踝上三

壯。同上

外踝尖上參寸。類經按内外踝上。針灸多效。千金。外臺。所載極多。詳于主治部中。而有言白肉際。青脉上交脉。又踝上容爪甲者。幼幼新書曰。腨鈞不熱。乳食尋常。多睡。眼不開。灸足踝上肆寸。男内踝女外踝各三七壯。綱目引東陽曰。治久漏瘡足内踝上壹寸。灸三壯至六壯。

通理　足小指上貳寸。主婦人崩中。及經血過多。鍼入二分。灸二七壯。寶鑑

大趾甲下　尸厥而死。脈動如故。刺大趾甲下内側。去甲參分。千金

按千金又曰。扁鵲云。卒中惡風。心悶煩毒。欲死急
灸足大趾下横文。隨年壯立愈。今按大趾甲下。十
三鬼穴中。鬼壘也。指隱白。

髖骨　膝蓋上梁丘傍。外開壹寸。類經　委中上參寸。髀
樞中垂手取之。大成　梁丘兩傍。各開壹寸伍分。兩足

共四穴。大成

按三説不同。又小學有腕骨。

腕骨　腕骨四穴梁丘傍。各開寸半腿痛。小學

按與髖骨同處。髖腕若有一誤。

跨骨　即梁丘穴也。大成

維會　足外踝上參寸。此即玉泉穴也。大成

按楊繼洲曰。此兩解不可俱屬經外奇穴並存以俟知者。

前承山　小兒望後跌。將此穴久掐久揉有効。秘旨

按無穴註。而所圖在骭前對承山處。

鞋帶穴　小兒望後仰。掐此。秘旨

按無穴註。而所圖在跗上。外臺引文仲曰。療傳屍立脚於繫鞋處横文。以手四指於文上量脛骨外逼脛當四指中節按之有小穴。取一縷麻剖令薄。以此麻緩繫上灸令麻縷斷。男左女右。患多減。

鼠尾　瘰癧穴法。用草一莖男比左手女比右手中節横紋。攢量過四肢紋盡處。此交折斷。將至絲螺

骨尖中。比至脚后惣筋中是穴。鼠尾。左灸左右灸右。俱有俱灸一年五壯。年深多灸。又曰。二鼠尾在手臂上大肉處。是穴。瘡瘍經驗全書。

内崑崙　治脚轉筋。鍼内崑崙。穴在内踝後陷中。入六分。氣至瀉之。千翼。

按千金翼又曰。少腹堅大。如盤盂。胸腹中脹滿。飲食不消。婦人癥聚瘦瘠。灸内踝後宛宛中。隨年壯。

上崑崙　資生

下崑崙　上崑崙。針伍分。下崑崙。外踝下壹寸。大筋下。資生引明堂。

按資生曰。明堂有上崑崙。又有下崑崙。銅人只云崑崙而不載下崑崙豈銅人不全耶抑名不同未可知也但上經云内崑崙在外踝下壹寸下經曰内崑崙在内踝後伍分未知其孰是予謂既云内崑崙則當在内踝後矣下經之穴爲通上崑崙在外踝故也

伏鬼

腓腸

鹿溪

按右三穴千金驚癇篇足部十四處灸穴下載之未詳其處

慈門千金

按千金曰。悲泣邪語。鬼忙。歌哭。灸慈門三十壯。千金翼曰。狂邪鬼語。灸慈門五十壯。

下滿　千金筋極篇。千翼轉筋條。

大幽　千金風癇篇。千金翼同。

胡脉　千金翼雜療篇。

肋户　犬癇之爲病。手足拳攣。灸兩手心一壯。灸足太陽一壯。灸肋户一壯。千金

食門　出外臺飲郄註

按以上六穴。無註解。未詳其處。

曲尺　小品方曰。在一脚趺上脛之下。接腕曲屈處。對大指岐。當踝前。兩筋中央陷者中是也。醫心方

扁鵲十三鬼穴

鬼宮 鬼信 鬼壘 鬼心 鬼路 鬼枕 鬼牀 鬼市 鬼路 鬼堂 鬼藏 鬼臣 鬼封

千金方曰。凡百邪之病源。起多塗。其有種種形相。示表癲邪之端。而見其病。或有默默而不聲。或復多言而謾說。或歌。或哭。或吟。或笑。或眠坐溝渠。噉食糞穢。或裸形露體。或晝夜遊走。或嗔罵無度。或是蜚蠱精靈。手亂目急。如斯種類。癲狂之人。今鍼灸與方藥。並主治之。凡占風之家。亦以風為鬼斷。

千翼凡下無十字。

扁鵲曰。百邪所病者。針有十三穴也。凡針之體。先從鬼宮起。次針鬼信。便至鬼壘。又至鬼心。未必須併鍼止五六穴。即可知矣。若是邪蠱之精。便自言說。論其由來往驗有實。立得精靈。未必須盡其命。求去與之。男從左起針。女從右起針。若數處不言。便徧穴千翼。作遍而無穴字。針也。依訣而行。針灸等處。並備主之。千翼。以下無五十字。仍須依掌訣捻目治之。萬不失一。黃帝掌訣。別是術家秘要。縛鬼禁劫五嶽四瀆山精鬼魅。並悉禁之。有目在人兩手中十指節間。第一針人中。名鬼宮。從左邊下針。右邊出。第二針手大指爪甲下。名鬼信。即少商入肉三分。第三針足大趾爪甲下。名鬼壘。千翼有五指皆針四字。即隱白。入肉二分。第四針掌後橫文。名鬼心。入半寸。註曰。即大淵穴也。千翼。寸作解第五針外踝下白肉際。足太陽。名鬼路。火針七鋥。鋥三下。註曰。即申脉穴也。第六針大椎上入髮際壹寸。名鬼枕。即風府。火針七鋥。鋥三下。第七針耳前髮際。宛宛中。千翼無上七字。耳垂下伍分。名鬼牀。即頰車。火針七鋥。鋥三下。第八針承漿。名鬼市。從左出右。第九針手横文上參寸。兩筋間。名鬼路。註曰。即勞宮穴也。千翼有此名。間使四字。第十鍼直鼻上入髮際壹寸。名鬼堂。火針七鋥。鋥三下。註曰。即上星穴也。第十一針陰下縫。灸三壯。女人即王門頭。名鬼藏。第十二鍼尺澤。横文外頭。千翼作横文中。内外兩頭。文接白肉際。名鬼臣。火針七鋥。鋥三下。註曰。此即曲池穴也。第十三針舌頭壹寸。當舌中下縫。刺貫出舌上。

名兔封。仍以一板橫口吻安針頭令舌不得動。已
前若是。手足皆相對。針兩穴。若是孤穴即單針之
按千金翼之文。大同小異。或語句上下而其意同
者不註。

脚氣八處灸穴

千金曰。凡脚氣初得脚弱。使速灸之并服竹瀝湯
灸訖。可服八風散無不瘥者。惟急速治之若人但
灸。而不能服散服散而不灸。如此者。半瘥半死。雖
得瘥者。或至一二年復更發動。覺得便依此法速
灸之及服散者。治十十愈。此病輕者。登時雖不即
惡。治之不當。根源不除。久久期於殺人。不可不精

以爲意。

初灸風市　次灸伏兎（千翼無灸字，下同）

次灸犢鼻　次灸膝兩眼（千翼作膝目）

次灸三里　次灸上廉　次灸下廉

次灸絶骨

凡灸八處。第一風市穴，可令病人起正身平立，垂兩臂（千翼作手）直下，舒十指，掩著兩髀，便點當（千翼無當字）手中央（千翼無央字）指頭髀大筋上是。（千翼無是字）灸之百壯，多亦任人（四字，千翼作逐輕重灸之），輕者不可減百壯，重者乃至一處五六百壯，勿令頓灸，三報之佳。第二（千翼無勿以下十字）伏兎穴，令病人累夫端坐，以病人手夫掩横（千翼作横掩。）膝上夫下傍。與曲膝頭齊。上傍。側夫際。當中央。是灸百壯。亦可五十壯。第三犢鼻穴。在膝頭蓋骨上際。外骨邊（骨邊。千翼作角。）平處。以手按之。得節解。則是。一（千翼法字。）有云。在膝頭下近外三骨箕踵中。動脚以手按之。得窟解是。灸之五十壯。可至百壯。第四膝眼（千翼作目。）穴。在膝頭骨下。兩傍。陷者宛宛中。是。（千翼有灸百壯之三字。）第五三里穴。在膝頭骨節下壹夫。附脛骨外。是。一（千翼法字。）有云。在膝頭骨節。下參寸。人長短大小。當以病人手夫度取。灸之百壯。第六上廉穴。在三里下壹夫。亦附脛骨外。是。灸之百壯。第七下廉穴。在上廉下壹夫。一云。（二字。千翼作亦字。）附脛骨外。是灸之百壯。第八絶骨穴。在脚外踝上壹夫。亦云。肆寸。是。千翼。有灸百壯之三字。凡此諸穴千翼無穴字灸。不必一頓灸盡壯數。可日日報灸之。三日之中。灸令盡壯數。爲佳。凡病一脚則灸一脚。病兩脚則灸兩脚。凡脚弱病。皆多皆多。千翼。作多著。兩脚。又一方云。如覺脚惡。千翼作異下同。便灸三里。及絶骨。各一處。兩脚惡者。合四處。千翼作穴。灸之。多少。隨病輕重。大要雖輕。不可減百壯。不瘥。速以次灸之。多多益佳。

按八穴。皆冠第幾之二字。爲次千金翼。無諸穴既有本條。宜參考。

水户醫官楊　元貞子幹

門人

常北　丹　彝　叔承

江都　大内陽　春卿　同校

水户　小田文卿子章

門人大谷彰年六十七全

部八卷不假靉靆鏡書之

經穴彙解卷之八畢

南陽原玄璵先生著述目録

嘉永七年甲寅初春再刻

發行
書林

京都三條通富小路東入　須原屋平左衛門
大坂心齋橋筋安堂寺町　秋田屋太右衛門
江戸日本橋通一丁目　須原屋茂兵衛
同　淺草茅町二丁目　須原屋伊八
水戸下町本町三丁目　須原屋安治郎